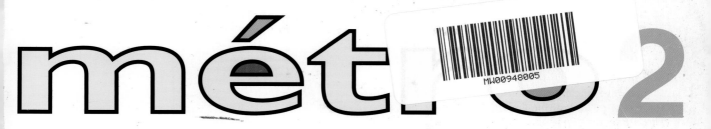

métro 2

Vert

Newi Haileab
Year 8 French book

SCHOOL
ROVE
BHS
7773
8409

Rosi McNab

Heinemann Educational Publishers
Halley Court, Jordan Hill, Oxford OX2 8EJ
Part of Harcourt Education

Heinemann is a registered trademark of Harcourt Education Limited

A catalogue record is available for this book from the British Library on request.

ISBN 0 435 38306 x

Produced by Ken Vail Graphic Design
Original Illustrations © Heinemann Educational Publishers 2000
Illustrations by Graham-Cameron Illustration (Mike Dodd, Anthony Maher and Noriko Toyama),
Celia Hart, Linda Jeffrey, Sylvia Poggio Artists Agency (Nick Duffy, Tony Forbes, Roger Langridge and
Paul McCaffrey), Chris Smedley

Cover photograph by Robert Harding.

Printed and bound in China by China Translation & Printing Services Ltd.

Acknowledgements

The author would like to thank Gaëlle Amiot-Cadey, Christine Arthur, Rachel Aucott, Nathalie
Barrabé, M. Bichon and the teachers and pupils at Collège Volney, Craon, Marie-Thérèse Bougard,
François Casays, Diane Collett, Anne Gibbens, Liz Graham, Michael Gray, Julie Green, Joan Henry,
Danièle Jouhandin, Sara McKenna, Sarah Provan, Christine Ross, M. Sarché, Jocelyn Stockley,
Kathryn Tate, and the students of the Association Cours D'Art Dramatique, Rouen, for their help in
the making of this course.

Lyrics and activities © Marie-Thérèse Bougard (2000)

Music © Laurent Dury (2000)

Teacher Consultants:

Jonathan Fawcett of Heanor Gate School, Heanor, Derbyshire
Michael Gray of King Edward VI Grammar School, Chelmsford

The author and publishers would like to thank the following for permission to reproduce copyright
material: **RATP, Air France, SNCF, P & O European Ferries, SNCF, Eurotunnel Group, Eurolines UK
Ltd** p. 88, **GBVI** p. 42 (Jeanne d'Arc), **Seagram** ('Shakespeare in Love' and 'The Mummy')

Photographs were provided by **Photodisc** p. 8 (dog and mouse), p. 53 (dogs), pp 87, 91 (River Seine),
pp 87, 90, 91 (Eiffel tower), pp 87, 90, 91 (Arc de triomphe), pp 90, 102 (Notre-Dame cathedral), p. 102
(Pompidou centre), **Dave Bradford** p. 8 (guinea pig), **Moviestore** p. 42 (Star Wars: The Phantom
Menace), **Tony Stone** p. 46 (Françine and Amélie), **Images** p. 87 (bridge over the River Seine) p. 91
(boat on the Seine), p. 90 (Louvre Museum), **Corbis** pp 90, 102 (La Grande Arche de la Défense) pp
90, 91 (Sacré-Coeur cathedral), p. 90 (Champs Élysées), pp 90, 91 (Science and Industry Park), p. 101
(pleasure boat on the Thames), p. 102 (Palace at Versailles), **Travel Ink** p. 90 (Champs Élysées), p. 101
(Covent Garden), **Britain on view** p. 101 (Trafalgar), p. 101 (Buckingham Palace), p. 101 (Harrods),
FUAJ p. 108 (Boulogne Youth Hostel). All other photos are provided by **Steve J. Benbow** and
Heinemann Educational Publishers.

Every effort has been made to contact copyright holders of material reproduced in this book. Any
omissions will be rectified in subsequent printings if notice is given to the publishers.

Tel: 01865 888058 www.heinemann.co.uk

métro 2

Rosi McNab

Table des matières

1 *Je me présente …*

Talking about yourself

● ● ● ● ● ● ● ● ● ● ● ● ● ●

Je m'appelle Thierry. J'habite à Québec, au Canada, je suis canadien. J'ai treize ans. J'ai les yeux bruns et les cheveux bruns. Je n'ai pas de frères et sœurs.

Mon nom est Patrice. Je suis français et j'habite à Paris en France. J'ai les yeux noisette et les cheveux blonds. J'ai douze ans. J'ai un frère mais je n'ai pas de sœurs.

Je m'appelle Véréna. J'habite à Lausanne, en Suisse. Je suis suisse. J'ai quatorze ans. J'ai les yeux bleus, et les cheveux blonds. J'ai une sœur et un frère. Je n'ai pas d'animal.

Je m'appelle Isabelle. Je suis antillaise, mais j'habite à Marseille. J'ai onze ans. J'ai les cheveux bruns et les yeux bruns. J'ai deux sœurs mais je n'ai pas de frères.

 1a **Écoute et lis.** *Listen and read.*

antillais(e)	*West Indian*
noisette	*hazel (greeny/brown)*
fils/fille unique	*only child*

 1b **Qui parle? Lis et trouve.**
Who is speaking? Read and find out!

Exemple: **1** *Véréna*

1 J'ai une sœur et un frère.
2 Je suis fils unique.
3 J'ai douze ans.
4 Je suis antillaise.

1c **À deux. À tour de rôle. Pose une question et réponds à la question de ton/ta partenaire.** *Take turns to ask and answer the questions.*

- ● Qui a un frère?
- ● (…) a un frère.
- ● Vrai/faux. A toi!

- ◆ Qui a un frère et une sœur?
- ◆ Qui a deux sœurs?
- ◆ Qui n'a pas de frères et sœurs?
- ◆ Qui habite à Paris?
- ◆ Qui habite en Suisse?
- ◆ Qui habite à Marseille?
- ◆ Qui habite au Canada?

- ◆ Qui a onze ans?
- ◆ Qui a douze ans?
- ◆ Qui a treize ans?
- ◆ Qui a les cheveux bruns et les yeux bruns?
- ◆ Qui a les yeux noisette et les cheveux blonds?
- ◆ Qui a les yeux bleus et les cheveux blonds?

1d Qui parle? Écoute et note. (1–4)
Listen and write down the name of the speaker.

Exemple: **1** *Patrice*

1e Copie et complète les bulles.
Copy and fill in the speech bubbles.

> Je m'appelle Patrice.
> J'ai *douze* ans.
> J'habite à *Paris*.
> J'ai les yeux *noisette* et les cheveux
> *blonds*.
> J'*ai* un frère.

> Je _'_ _ _ _ _ _ _ _ Isabelle.
> J'_ _ _ _ _ _ ans.
> J'_ _ _ _ _ _ à Marseille.
> J' _ _ les yeux _ _ _ _ _ et les cheveux _ _ _ _ _.
> J'_ _ deux sœurs.

> Je m'appelle _ _ _ _ _ _ _.
> Mon _ _ _ _ _ _ s'appelle Pascal.
> Ma _ _ _ _ _ _ s'appelle Anne-Laure.
> J'ai _ _ _ _ _ _ _ _ _ ans.
> J'_ _ _ _ _ _ en Suisse.

> J'_ _ _ _ _ _ _ au Canada.
> Je _ _ _ _ _ canadien.
> Je m'appelle _ _ _ _ _ _ _ _.
> J'ai _ _ _ _ _ _ ans.
> Je n'_ _ pas de frères et sœurs.

2a Prépare un portrait de toi-même et apprends-le par cœur.
Prepare a self-portrait and learn it off by heart.

Je m'appelle …		
J'habite à / en / au	(Manchester) / Angleterre/ Écosse/ Irlande etc. / pays de Galles	
Je suis	anglais(e)/écossais(e)/gallois(e)/irlandais(e) etc.	
J'ai	un frère/une sœur deux frères/deux sœurs etc.	
Je n'ai pas	de frères et sœurs	
J'ai	douze/treize ans les cheveux blonds/bruns/roux/châtains les yeux bleus/bleu-gris/bruns/noisette	

Le détective

Talking about yourself:
je *I*

Infinitive
avoir *to have*
être *to be*
habiter *to live*

Je *form*
j'ai *I have*
je suis *I am*
j'habite *I live*

➡ **page 138, pts 1.1, 1.2**

2b Écris ton autoportrait. *Write out your self-portrait.*

2 Quentin et Murielle

Talking about someone else

• • • • • • • • • • • • • • • • • •

Quentin a treize ans. Il habite en Suisse.
Il a un frère qui s'appelle Grégory et une
sœur qui s'appelle Aurélie. Il a un chien
qui s'appelle Isis.

Murielle habite en France. Elle
a douze ans. Elle a une sœur qui
s'appelle Céline et un frère qui
s'appelle Jérôme. Elle a un
cochon d'Inde qui s'appelle
Plouf et une souris qui s'appelle
Rapido.

1a **Écoute et lis. Attention à la prononciation des noms.**
Listen and follow the text. Notice the pronunciation of the names.

1b **Lis et réponds.** *Read and answer the questions.*

Comment s'appelle le frère de Quentin?	… s'appelle Grégory.
Comment s'appelle la sœur de Quentin?	… s'appelle Aurélie.
Comment s'appelle le chien de Quentin?	… s'appelle Isis.
Comment s'appelle la sœur de Murielle?	… s'appelle Céline.
Comment s'appelle le frère de Murielle?	… s'appelle Jérôme.
Comment s'appelle le cochon d'Inde de Murielle?	… s'appelle Plouf.
Comment s'appelle la souris de Murielle?	… s'appelle Rapido.

Le détective

Talking about someone else:

il est	*he is*
elle est	*she is*

➡ page 138, pt 1.2

Rappel

Everything in French is either masculine or
feminine (he or she):

le cochon d'Inde	**il**
la souris	**elle**

L'alphabet

A B C D E F G H I J K L M N O P Q R S T U V W X Y Z

accent aigu *é*	cédille *ç*
accent grave *à è*	tiret *–*
accent circonflexe *â ê î ô û*	

2a Écoute et répète.
Listen and repeat the alphabet.

*Which letters sound like (or nearly like)
English letters?*
Which letters are difficult to remember?
Can you think of ways to remember them?
*Which letters do you need to spell your own
name and say what town you live in?*

2b Comment s'appellent-ils? (1–6)
What are their names?

3a À tour de rôle. Choisis une
personnalité et présente-la.
Take turns to choose a personality and introduce him or her.

Exemple: *Il s'appelle Jérôme. Il a douze ans. Il habite à Paris.*
Il a un frère qui s'appelle Sébastien et une sœur qui s'appelle Françoise.

nom	âge	habite	famille
Jérôme	12 ans	Paris	1 frère, Sébastien; 1 sœur, Françoise
Nathalie	13 ans	Calais	2 frères: Nathan, Jérémy
François	14 ans	Lyon	1 sœur, Pauline
Maurice	14 ans	Bordeaux	1 frère, Antoine
Zéna	13 ans	Marseille	2 sœurs: Murielle, Julie

3b Écris une présentation de Maurice et Zéna.
Write about Maurice and Zéna.

Exemple:
Il/elle s'appelle …
Il/elle a … ans.
Il/elle habite à …
Il/elle a … frère/s et … sœur/s.

Le détective

Talking about someone else:

il/elle s'appelle	*he/she is called …*
il/elle est	*he/she is …*
il/elle a	*he/she has …*
il/elle habite	*he/she lives …*

➡ **page 138, pt 1.1**

3 Que font-ils après le collège?

Saying what you do after school

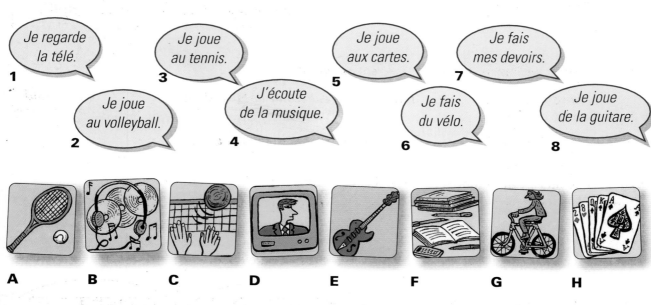

1 Je regarde la télé.

2 Je joue au volleyball.

3 Je joue au tennis.

4 J'écoute de la musique.

5 Je joue aux cartes.

6 Je fais du vélo.

7 Je fais mes devoirs.

8 Je joue de la guitare.

A B C D E F G H

1a **Lis et choisis la bonne image.**
Read and choose the picture which matches each phrase.

1b **Que fait Patrice?** *What does Patrice do?*

Exemple: lundi, D

| lundi | mardi | mercredi | jeudi | vendredi | samedi | dimanche |

2a **À deux. Que font-ils? À tour de rôle.**
What do they do? Take turns to ask and answer the questions:

- Que fait (Véréna)?
- Elle (écoute …) Que fait (Thierry)?
- Il …

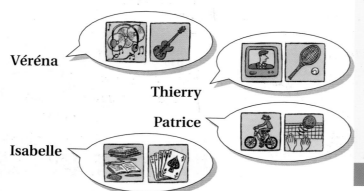

Véréna

Thierry

Patrice

Isabelle

Le détective

How to say what you do and what someone else does:

je	*I*	
il	*he*	elle *she*

je joue	*I play*
il/elle joue	*he/she plays*
j'écoute	*I listen*
il/elle écoute	*he/she listens*
je regarde	*I watch*
il/elle regarde	*he/she watches*
je fais	*I do*
il/elle fait	*he/she does*

➡ page 139, pts 1.1, 1.2

2b **Que font-ils ce soir? Écoute et note. (1–8)**
Listen and write down what they are doing this evening.

Exemple: *Constance – F, B*

Constance	Nadège	Didier	Delphine
Benjamin	Jérôme	Auban	Aurélie

2c **Écris les réponses.** *Write the answers out in full.*

Exemple: *Constance – Elle fait ses devoirs et elle écoute de la musique.*

et *and*

2d **À deux. Qui es-tu?** *Interview your partner to find out who he/she 'is'.*

● Que fais-tu?
● Je fais mes devoirs et j'écoute de la musique.

● Tu es Constance!
● Vrai. À toi!

● Tu es Aurélie.
● Faux, essaie encore!

3 **Lis et trouve. Qui parle?**
Who is speaking?

Exemple: *A – Patrice*

A

B

C

D

Après le collège je joue au tennis avec ma copine, je fais mes devoirs et j'écoute de la musique. *Isabelle*

Après le collège je fais mes devoirs, je regarde la télé et je joue au foot avec mon frère. *Patrice*

Après le collège je fais une balade en vélo avec ma copine et puis je fais mes devoirs et je regarde la télé. Le soir, je regarde une vidéo et j'écoute de la musique. *Véréna*

Après le collège je joue au volleyball avec mes copains, je fais mes devoirs et j'écoute de la musique. *Thierry*

Mini-test **I can …**

● introduce myself giving my name and age
● say what I look like and where I live
● say five things that I do
● and describe someone else and say what he/she does

Le détective

How to say my:

Je joue avec mon copain
ma copine
mes copains/copines

➡ page 144, pt 16

4 La semaine de Pascal

Saying where you go and what you do in the evening

lundi – Je vais à la piscine et je mange au snack.

mardi – Je vais au parc et je fais du roller.

mercredi – Je vais en ville et je fais du shopping.

jeudi – Je vais chez ma copine et j'écoute de la musique.

vendredi – Je vais au terrain de sport et je joue au volleyball.

samedi – Je vais au cinéma avec ma copine et je mange au McDo.

dimanche – Je reste à la maison et je regarde une vidéo.

 1a **C'est quel jour?** *What day is it?*

A **B** **C** **D** **E** **F** **G**

 1b **C'est quel jour?** *What day is it?* (1–7)

Rappel

How to say 'to':

en ville	*to town*
à la piscine	*to the swimming pool*
au cinéma	*to the cinema*
au collège	*to school*
chez mon copain/ma copine	*to my friend's (house)*

Le détective

Talking about where you go:

aller	*to go*
je vais	*I go*
il/elle va	*he/she goes*
où vas–tu?	*where do you go?*

➡ **page 139, pt 1.2**

 1c **À tour de rôle.** *Take turns to ask each other where you are going.*

● Où vas-tu?
● Je vais au McDo.

A **B** **C** **D** **E** **F** **G**

1d **Où vas-tu?** *Write down where you are going.*

Exemple: *A – Je vais en ville.*

A

B

C

D

E

F

2a **Où vont-ils et que font-ils? Lis et trouve les images qui correspondent.**
Read and find the pictures which match. Where do they go and what do they do?

1
Je vais au cinéma et je regarde un film.
Maurice

2
Je vais au parc et je fais du roller.
Sarah

3
Je vais au snack et je mange un burger.
Benoît

4
Je reste à la maison et je regarde une vidéo.
Nicolas

5
Je vais en ville et je fais du shopping.
Chloë

6
Je vais chez ma copine et j'écoute de la musique.
Jérôme

A

B

C

D

E

F

2b **Qui parle?** *Listen and find out who is speaking.* (1–6)

3a **Interviewe ton/ta partenaire.**
Take turns to interview each other.

● Où vas-tu (lundi) ? Que fais-tu?

	Partenaire A	**Partenaire B**
lundi:		
mardi:		
mercredi:		

Je vais	au cinéma/au parc/au McDo au collège/au terrain de sport en ville/à la piscine chez mon copain/ma copine
J'	achète des baskets/un pull écoute de la musique
Je	joue au tennis/volleyball mange un burger regarde une vidéo fais du roller/mes devoirs lis un livre regarde un film
Je reste	à la maison

3b **Écris une phrase pour chaque jour.**
Write a sentence for each day.

Lundi, je vais (chez mon copain) et j'écoute de la musique.
Mardi, …

5 Un jour de congé

A special day out

• • • • • • • • • •

A　　**B**　　**C**　　**D**　　**E**　　**F**　　**G**　　**H**

1a　**C'est quelle image?** *Find the matching pictures.*

| **manège** | *merry-go-round, ride* |

Exemple: 1–D

1　J'aime aller à la montagne. J'aime faire des randonnées.

2　J'aime aller à la plage. J'aime faire de la planche.

3　J'aime aller à la campagne. J'aime faire du cheval.

4　J'aime aller au lac avec mon père. J'aime aller à la pêche.

5　J'aime aller en ville. J'aime visiter les musées.

6　J'aime aller au parc d'attractions. J'aime faire un tour sur les manèges.

7　J'aime aller au stade. J'aime regarder un match de foot.

8　J'aime rester à la maison. J'aime lire un bon livre.

1b　**Où aiment-ils aller? Qu'est-ce qu'ils aiment faire?** (1–8)
Where do they like to go and what do they like to do?

Exemple: Benjamin – 4, A

| Benjamin | Aurélie | Loïc | Nadège | Thomas | Julie | Gwenaëlle | Serge |

1c　**À deux. Vérifiez vos réponses.**

Working in pairs, check your answers.

- Le numéro un?
- (Benjamin) aime aller (au lac) et il aime (aller à la pêche).
- Oui, d'accord. Non, il/elle aime aller … et il/elle aime faire …
- Le numéro deux?

Le détective

To say you like doing something:
　J'aime aller …
　　　faire …
　　　regarder…

1d **Et toi? Qu'est-ce que tu dis?** *What would you say?*

J'aime aller …

et j'aime …

2a **Aiment-ils aller à la plage? Qu'est-ce qu'ils en pensent? (1–11)**
Do they like going to the beach? What do they think of it?

Exemple: 1✗–F

C'est comment? C'est …
A super   **B** cool   **C** génial   **D** pas mal   **E** ennuyeux   **F** nul

2b **Qui aime aller à la campagne?**
Who likes going to the country?

> Aimes-tu aller à la campagne?

> J'aime aller à la campagne, faire des balades en vélo, c'est super. **Sylvain**

> Je préfère la ville. Je n'aime pas aller à la campagne, c'est nul. **André**

> La campagne, que c'est ennuyeux! **Constance**

> J'adore les animaux et j'aime aller à la campagne, c'est génial. **Frédérique**

2c **Interviewe cinq personnes. Note les réponses.**
Interview five people. Make a note of the replies.

- ● Aimes-tu aller à la plage?
- ● Oui, j'aime aller à la plage. Non, je n'aime pas aller à la plage.
- ● C'est comment?
- ● C'est …

2d **Écris leurs réponses.**
Write up their replies.

Name		Opinion
Christine	aime aller …	C'est …
John	n'aime pas aller …	C'est …

Bilan

I can …
- *say what I am called*
- *how old I am*
- *say where I live*

Je m'appelle (John).
J'ai douze/treize ans.
J'habite à Manchester.
J'habite en Angleterre/Écosse/Irlande.
J'habite au pays de Galles.

- *what nationality I am*
- *what I look like*

Je suis anglais(e)/écossais(e)/gallois(e)/irlandais(e)
J'ai les cheveux blonds/bruns/roux/châtains
J'ai les yeux bleus/verts/bruns

- *what brothers and sisters I have*

J'ai un frère/deux frères.
J'ai une sœur/deux sœurs.
Je n'ai pas de frères et sœurs.

I can …
- *say what he/she is called*
- *say how old he/she is*
- *say where he/she lives*
- *say what brothers and sisters he/she has*

Il/Elle s'appelle …
Il/Elle a douze ans.
Il/Elle habite (à Paris/en France).
Il/Elle a … frère(s) et … sœur(s).

I can…
- *say what activities I do*

Je joue au volleyball/basket/tennis/football/
aux cartes
Je joue de la guitare.

- *say I watch television/a video*
- *say I listen to music*
- *say I do my homework*
- *… and what someone else does*

Je regarde la télévision/une vidéo
J'écoute de la musique.
Je fais mes devoirs.
Il/Elle joue/regarde/écoute/fait …

I can …
- *say where I go and what I do in the evening*

Je vais au cinéma/au parc/au McDo
Je vais en ville.
Je vais chez mon copain/ma copine
J'achète des baskets/un pull
Je mange un burger.
Je fais du roller/mes devoirs
Je lis un livre.
Je vois un film.
Je reste à la maison.

I can …
- *say where I like going*

J'aime aller à la montagne/à la plage/à la campagne/
au lac/au parc d'attractions/au stade/en ville

- *say I like to stay at home*
- *… and what I like to do*

J'aime rester à la maison.
J'aime faire des randonnées/de la planche/du cheval/
faire un tour sur les manèges/visiter les musées/
regarder un match de foot

- *… and say what it is like*

C'est super/cool/génial/pas mal/ennuyeux/nul

Grammaire

1 Talking about yourself

To talk about yourself, use the **je** ('I') form of the verb.
To talk about someone else, use the **il/elle** ('he/she') form of the verb.

infinitive		je		il/elle	
avoir	*to have*	j'ai	*I have*	il/elle a	*he/she has*
être	*to be*	je suis	*I am*	il/elle est	*he/she is*
habiter	*to live*	j'habite	*I live*	il/elle habite	*he/she lives*

Fill in the right form of the verbs to complete the sentences.

1 J' … douze ans.
2 Je … anglais(e).
3 J'… à Londres.

4 Il … treize ans.
5 Il … écossais.
6 Il … en Écosse.

7 Elle … onze ans
8 Elle … galloise.
9 Elle … au pays de Galles.

2 Gender (masculine and feminine)

Everything in French is either masculine or feminine ('he' or 'she').

le livre	*the book*	il est grand	*it is big (literally: he is big)*
la table	*the table*	elle est petite	*it is small (literally: she is small)*

Masculine or feminine?

Make a list of ten words you know and write **le** or **la** in front of them.

Exemple: le cahier

3 How to say what you do and what someone else does

infinitive	je *I*	il/elle *he/she*
jouer *to play*	je joue *I play*	il/elle joue *he/she plays*
écouter *to listen*	j'écoute *I listen*	il/elle écoute *he/she listens*
regarder *to watch*	je regarde *I watch*	il/elle regarde *he/she watches*
faire *to do*	je fais *I do*	il/elle fait *he/she does*

Fill in the missing verb.

1 Je … au tennis.
2 Je … mes devoirs.
3 J'… de la musique.
4 Je … la télé.

5 Il … au basket.
6 Il … ses devoirs.
7 Il … un CD.
8 Il … la télé.

9 Elle … au badminton.
10 Elle … ses devoirs.
11 Elle … la radio.
12 Elle … un film.

4 'My', 'his' and 'her'

I play with my friend(s).	*He/she plays with his/her friend(s).*
Je joue avec mon copain.	Il/Elle joue avec son copain.
Je joue avec ma copine.	Il/Elle joue avec sa copine.
Je joue avec mes copains/copines.	Il/Elle joue avec ses copains/copines.

Notice there is only one word for both 'his' and 'her' in French.

Fill in the missing words.

1 Je joue avec … copain.
2 Je joue avec … copine.
3 Je joue avec … copains.
4 Thomas joue avec … copain.
5 Paul joue avec … copine.

6 Marc joue avec … copains.
7 Aurélie joue avec … copine.
8 Eve joue avec .. copains.
9 Cathy joue avec … copain.

5 Talking about where you go

aller *to go*
Où vas-tu? *Where do you go?*
je vais *I go*
il/elle va *he/she goes*

Fill in the right form of the verb:

1 Je… en ville.
2 Où …-tu?
3 Je …à la piscine.

4 Paul … au cinéma.
5 Anna … au collège.

6 How to say 'to'

en ville *to town*
à la piscine *to the swimming pool*
au cinéma *to the cinema*
chez mon copain/ma copine *to my friend's (house)*

Où vont-ils?

1 Miriam va … … piscine.
2 Karim va … ville.

3 Noémie va … cinéma.
4 Simon va … sa copine.

7 How to say you like doing something

Exemple: J'aime aller à la campagne. *I like going to the countryside.*
Make five sentences and write out what they mean.

J'aime aller …
    rester …
    faire …

au stade   des randonnées   à la montagne
en ville   à la maison   de la planche   à la plage

Contrôle révision

1 Où va-t-il/elle? Que fait-il/elle? (1–5)

Exemple: 1–A, J

 A   **B** **C** **D** **E** **F** **G**

 H **I** **J** **K** **L** **M** **N** **O**

2 À deux. Choisis trois destinations et trois activités. Interviewe ton/ta partenaire.

> vendredi samedi dimanche

- Où vas-tu (vendredi)?
- Je vais …
- Que fais-tu?

- Je fais/joue etc.
- Où vas-tu (samedi)?

3 Copie et complète la grille.

Je m'appelle Charlotte. J'ai douze ans et j'habite à Lyon, en France.
J'ai les yeux bruns et les cheveux bruns. J'ai un frère.
J'aime faire de la planche, j'aime nager et j'aime faire du roller. Je n'aime pas faire du vélo.

Mon copain s'appelle Denis. Il a treize ans et il habite à Paris. Il a les yeux noisette et les cheveux blonds. Il n'a pas de frères et sœurs. Il aime jouer au volleyball, il aime lire et il aime faire du roller aussi. Il n'aime pas regarder la télé.

nom	âge	habite	yeux	cheveux	famille	aime	n'aime pas

4 Copie et complète la grille pour toi.

nom	âge	habite	yeux	cheveux	famille	aime	n'aime pas

EN PLUS *Lettre de Françoise*

Salut!

Je m'appelle Françoise. J'ai quatorze ans,
je cherche un(e) correspondant(e) qui
parle français. J'habite à Lyon, en France.
J'ai une petite sœur, qui s'appelle Yvette.
Elle a sept ans. Elle a les yeux bleus et les cheveux blonds.
J'ai aussi un grand frère. Il a les yeux bruns et les
cheveux bruns. Il s'appelle Julien et il a dix-huit ans. Moi,
j'ai les yeux bleus et les cheveux blonds. J'ai un chien qui
s'appelle Samy.

J'aime les animaux, la musique, le sport, les jeux vidéos
et la mode!

Comment tu t'appelles? Quel âge as-tu? Où habites-tu?
As-tu des frères et sœurs? Aimes-tu les animaux?

Écris-moi vite!

Françoise

1a **Qui est-ce?** *Who is it?*

Exemple: A – C'est le/la … de Françoise

A  **B**  **C**

1b **Copie et complète la grille.** *Copy and fill in the grid.*

	nom	*âge*	*cheveux*	*yeux*
1	Françoise			
2 (sa sœur)				
3 (son frère)				

1c À deux. Questions et réponses. *Take it in turns to ask and answer questions.*

Comment s'appelle-t-elle?	Elle s'appelle …
Quel âge a-t-elle?	Elle a … ans.
Où habite-elle?	Elle habite à …
A-t-elle des frères et sœurs?	Elle a …
A-t-elle un animal?	Elle a …

1d Écris une réponse à Françoise. *Write a reply to Françoise.*

2a Qu'est-ce qu'elle a fait la semaine dernière? *What did she do last week?*

Le détective

How to say what you do		How to say what you did	
j'écoute	*I listen*	J'ai écouté de la musique.	*I listened to music.*
je joue	*I play*	J'ai joué au volleyball/ tennis/aux cartes.	*I played volleyball/ tennis/cards.*
je regarde	*I watch*	J'ai regardé la télévision.	*I watched TV.*
je fais	*I do*	J'ai fait mes devoirs/du vélo.	*I did my homework/I went cycling.*

➡ page 140, pt 4

2b À deux. Qu'est-ce qu'elle dit?
Take it in turns to say what she did.

Lundi?

J'ai fait du vélo.
Mardi?

J'ai joué …..

Qu'est-ce qu'ils ont fait samedi dernier? Copie et complète la grille.
What did they do last Saturday? Copy and fill in the grid.

nom	le matin	l'après-midi	le soir
Isabelle	la télé		

> Le matin,
> j'ai regardé la télé. L'après-midi,
> j'ai joué au tennis avec ma copine.
> Le soir, j'ai fait mes devoirs et j'ai écouté
> de la musique.
> **Isabelle**

> Le matin,
> j'ai joué au volleyball. L'après-midi,
> j'ai fait une balade en vélo avec mes copains
> et puis j'ai fait mes devoirs. Le soir, j'ai regardé
> la télé et j'ai écouté de la musique.
> **Thierry**

> Le matin
> j'ai joué aux cartes avec mon frère.
> L'après-midi, j'ai fait du vélo et j'ai regardé la télé
> et le soir j'ai écouté de la musique.
> **Patrice**

> Le matin
> j'ai regardé la télé. L'après-midi j'ai fait du
> vélo avec ma sœur et j'ai écouté de la musique
> et le soir j'ai fait mes devoirs.
> **Véréna**

3 **Qu'est-ce qu'ils ont fait? Copie et complète.**
What did they do? Copy and complete.

Le matin j'ai  avec ma copine Cathy. L'après-midi j'ai

avec mon copain Sylvain et le soir j'ai 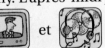 et .

Karin

Moi, le matin , l'après-midi et et le soir et

.

Bénédict

Chanson

Je m'appelle Joris,
J'habite en Suisse.
Et mon jumeau
S'appelle Léo.
Je suis petit,
J'aime le mardi.
Léo aussi.

Refrain

La vie est belle,
Le monde est beau,
Avec une sœur jumelle,
Avec un frère jumeau.
Margot, Estelle ou Annabel,
Abdel, Thibaud ou Roméo.

Je m'appelle Gervaise,
Je suis antillaise.
Et ma jumelle
S'appelle Estelle.
J'ai les yeux gris,
J'aime les souris.
Estelle aussi.

Refrain

Avec Léo,
Mon frère jumeau,
Je fais du vélo,
Je mange au McDo,
Je joue du piano,
Ou je ne fais rien,
Et c'est très bien.

Refrain

Avec Estelle,
Ma sœur jumelle,
Le mardi soir,
Je fais mes devoirs,
Je joue de la guitare,
Ou je ne fais rien,
Et c'est très bien.

Refrain

 1 Retrouve la bonne phrase pour chaque dessin.

1 Je fais du vélo.
2 J'aime les souris.
3 J'habite en Suisse.
4 Je joue de la guitare.

A   B

C   D

 2 Recopie et complète le nouveau couplet.

J'adore _____,
Mon _____ jumeau.
Avec Théo,
Je _____ des gâteaux
Et des _____.
Je _____ du roller.
Je lis des _____,
Je _____ au volley.

le couplet *verse*

BD	burgers
fais	frère joue
mange	Théo

Mots

Comment tu t'appelles? — *What is your name?*

Je m'appelle …	*I am called …*
Il/Elle s'appelle …	*He/she is called …*

Où habites-tu? — *Where do you live?*

J'habite (à Paris)	*I live (in Paris)*
Il/Elle habite …	*He/she lives …*
en France	*in France*
en Angleterre	*in England*
en Écosse	*in Scotland*
en Irlande	*in Ireland*
au pays de Galles	*in Wales*
au Canada	*in Canada*

Tu es de quelle nationalité? — *What nationality are you?*

Je suis …	*I am …*
Il/Elle est …	*He/she is …*
français(e)	*French*
canadien(ne)	*Canadian*
antillais(e)	*West Indian*
suisse	*Swiss*
anglais(e)	*English*
écossais(e)	*Scottish*
gallois(e)	*Welsh*
irlandais(e)	*Irish*

Ma description — *About me*

Quel âge as-tu?	*How old are you?*
J'ai …	*I am …*
Il/Elle a …	*He/she is …*
(onze/douze/ treize/ quatorze) ans	*I am 11/12/13/14 years old*
Tu as les yeux et les cheveux de quelle couleur?	*What colour are your hair and your eyes?*
J'ai les yeux bleus.	*I have blue eyes.*
les yeux verts	*green eyes*
les yeux bruns	*brown eyes*
les yeux noisette	*hazel eyes*
J'ai les cheveux blonds.	*I have blond hair.*
les cheveux bruns	*brown hair*
les cheveux roux	*red hair*
les cheveux châtains	*chestnut hair*

Ta famille — *Your family*

As-tu des frères et sœurs?	*Have you got any brothers and sisters?*
J'ai …	*I have …*
Il/Elle a …	*He/she has …*
un frère/deux frères	*one brother/two brothers*
une sœur/deux sœurs	*one sister/two sisters*
Je n'ai pas de frères et sœurs.	*I haven't any brothers or sisters.*
Il/elle a …	*He/she has …*
un chien	*a dog*
un cochon d'Inde	*a guinea-pig*
une souris	*a mouse*
qui s'appelle …	*who is called …*

Que fais-tu? — *What do you do?*

Je regarde la télé/une vidéo	*I watch TV/a video.*
Je regarde *La Guerre des Étoiles*.	*I watch Star Wars.*
Je joue au volleyball.	*I play volleyball.*
Je joue au tennis.	*I play tennis.*
Je joue aux cartes.	*I play cards.*
J'écoute de la musique.	*I listen to music.*
Je fais du vélo.	*I ride my bike.*
Je fais du shopping.	*I go shopping.*
Je fais du roller.	*I go roller-blading.*
Je fais mes devoirs.	*I do my homework.*
Je joue de la guitare.	*I play the guitar.*
Je mange au snack/ McDo.	*I eat at a fast food restaurant/ McDonald's.*

avec …	with …
ma/sa copine	my/his/her friend (f)
mon/son copain	my/his/her friend (m)
mes/ses copains	my/his/her friends (m)
mes/ses copines	my/his/her friends (f)

Les jours de la semaine — Days of the week

lundi	Monday
mardi	Tuesday
mercredi	Wednesday
jeudi	Thursday
vendredi	Friday
samedi	Saturday
dimanche	Sunday

Où vas-tu? — Where are you going?

Je vais …	I am going …
à la piscine	to the swimming pool
au parc	to the park
au terrain de sport	to the sports ground
au cinéma	to the cinema
en ville	to town
chez mon copain/ ma copine	to my friend's (m/f)
Je reste à la maison.	I stay home.

Où aimes-tu aller? — Where do you like going?

J'aime aller …	I like going …
à la montagne	to the mountains
à la plage	to the beach
à la campagne	to the country
au lac	to the lake
au parc d'attractions	to the amusement park
au stade	to the stadium
en ville	to town
J'aime rester à la maison.	I like staying at home.

Qu'est-ce que tu aimes faire? — What do you like to do?

J'aime …	I like …
regarder un match de foot	to watch a football match
faire des randonnées	to go for long walks
faire de la planche	to go windsurfing
faire de l'équitation	to go horseriding
aller à la pêche	to go fishing
faire un tour sur les manèges	to go on the rides (at an amusement park)
lire un bon livre	to read a good book
nager	to swim
visiter les musées	to visit museums

c'est …	it's …
super	super
cool	cool
génial	great
pas mal	not bad
ennuyeux	boring
nul	rubbish

Les accents — Accents

accent aigu	é
accent grave	è à
accent circonflexe	â ê î ô û
cédille	ç
tiret	–

1 *Le matin*

Talking about what you do in the morning

A   B   C   D   E   F   G   H

 1a C'est quel dessin?

1 Je me douche.

2 Je m'habille.

3 Je me lève.

4 Je sors.

5 Je bois.

6 Je me réveille.

7 Je me lave.

8 Je mange.

> *Try to pair up the pictures and the words.*
> *How many can you work out or guess?*
> *Which ones do you need to look up?*
> *How are you going to remember them?*

 1b C'est quelle image? (1–8)

Le détective

Reflexive verbs

You have already met **je m'appelle** – *I am called*
These verbs work in the same way:

Je me réveille.	*I wake up.*
Je me lève.	*I get up.*
Je me douche.	*I have a shower.*
Je m'habille.	*I get dressed.*
Je me lave.	*I get washed.*
Je me lave les dents.	*I clean my teeth.*

➡ page 139, pt 2

 1c Que fais-tu? À tour de rôle:
Pose la question à ton/ta partenaire.

● Que fais-tu?
● Je me ...

A   B   C   D   E   F

Le matin, je me réveille à six heures et demie. Je me lève à sept heures et je me douche vite. Puis je m'habille et je mange mon petit déjeuner. Je mange du pain grillé avec du beurre et de la confiture et je bois du chocolat chaud. Je sors à sept heures et demie.

Auban

Je me réveille à sept heures moins le quart. Je me lève à sept heures moins cinq, je me lave et je m'habille. Je mange mon petit déjeuner. Je prends des céréales et je bois un jus d'orange. Puis je me lave les dents.

Lucy

2 **Qui est-ce? Lucy ou Auban?**

Exemple: **1a** *Auban,* **1b** …

| Je me lave les dents | *I clean my teeth* |

3a **Copie et complète la lettre d'Amélie.**

3b **Que fais-tu? Décris ce que tu fais le matin, avant de sortir.**
Describe what you do in the morning before leaving the house.

2 Se lever et se coucher

Saying when you get up and go to bed

samedi   dimanche

Le détective

How to say you get up and go to bed

se lever   to get up
se coucher   to go to bed

je me lève   I get up
je me couche   I go to bed

➡ page 139, pt 2

1a Copie et complète la grille (1–4).

> Le samedi, je me lève à six heures trente et je me couche à vingt et une heures. Le dimanche, je me lève à onze heures trente et je me couche à vingt et une heures du soir.
> **Patrice**

> Le samedi, je me lève à six heures quarante-cinq, et je me couche à vingt-deux heures. Le dimanche, je me lève à vingt-deux heures trente et je me couche à neuf heures quarante-cinq.
> **Isabelle**

> Le dimanche, je me lève à midi, et je me couche à vingt-deux heures quinze. Samedi matin je me lève à huit heures quarante-cinq. Le soir, je vais souvent au cinéma et je me couche normalement à vingt-deux heures trente.
> **Thierry**

> Le samedi, je me lève à huit heures et le soir je me couche vers vingt-deux heures trente. Le dimanche, je me lève à onze heures trente et je me couche à vingt et une heures!
> **Véréna**

Le détective

A quelle heure?

How to use the 24-hour clock

12h00 douze heures	12 o'clock		
13h00 treize heures	1.00 p.m.		
18h00 dix-huit heures	6.00 p.m.	18h45	6.45 p.m.
19h00 dix-neuf heures	7.00 p.m.	19h30	7.30 p.m.
20h00 vingt heures	8.00 p.m.	20h30	8.30 p.m.
21h00 vingt et une heures	9.00 p.m.	21h45	9.45 p.m.
22h00 vingt-deux heures	10.00 p.m.	22h30	10.30 p.m.

		samedi	dimanche
Nom			
1 Patrice			
2 Isabelle		exercise 1a	
3 Thierry			
4 Véréna			
5 Olivier			
6 Fabien		exercise 1c	
7 Laure			
8 Alexia			

1b À tour de rôle, pose et réponds à la question: Quelle heure est-il?

Exemple: **A** *Il est treize heures*

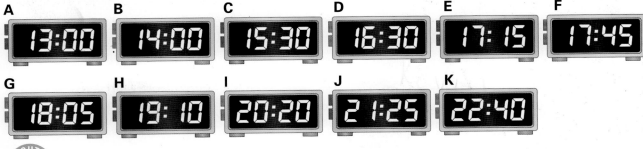

A 13:00 B 14:00 C 15:30 D 16:30 E 17:15 F 17:45

G 18:05 H 19:10 I 20:20 J 21:25 K 22:40

1c Écoute et remplis la grille pour Olivier, Fabien etc. (5–8).

2a Sondage de classe. Ils se couchent à quelle heure? Écoute et note. (1–13)
Listen to the class survey. At what time do they go to bed?

2b Faites un sondage de classe. Pose la question et note les réponses.
Carry out a class survey. Ask the question and write down the answers.

> À quelle heure
> tu te couches?

2c Fais un graphique. Compare tes résultats. *Draw a graph and compare your results.*

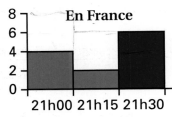

En France

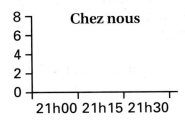

Chez nous

On se couche plus tard en France/chez nous …

3 À quelle heure se lèvent-ils et à quelle heure se couchent-ils?
Gilles se lève à sept heures vingt et il se couche à vingt et une heures trente.

Gilles	Frédérique	Jessica	Charlotte
7h20	6h50	7h00	7h25
21h30	21h15	21h45	22h00

Et toi? À quelle heure tu te lèves et à quelle heure tu te couches ?

Le détective

Talking about yourself and other people:

je me lève	je me couche
tu te lèves	tu te couches
il/elle se lève	il/elle se couche

➡ page 139, pt 2

3 Les clubs

Talking about clubs you go to

• • • • • • • • • • • • • •

Mes passe-temps préférés

Centre de loisirs

Salle polyvalente		
Cours de judo	mer. 14h00–16h00	sam. 14h00–16h00
Cours de basket	mer. 10h00–12h00	sam. 12h00–14h00
Club de badminton	mer. 16h00–18h00	sam. 16h00–18h00
Salle de gym		
Gymnastique rhythmique et sportive	mer. 14h00–16h00	sam. 14h00–16h00
Cours de danse	mer. 10h00–12h00	sam. 12h00–14h00
Cours d'art dramatique	mer. 16h00–18h00	sam. 16h00–18h00
Club des Jeunes		
Cours de guitare classique ou électrique	mer. 10h00-11h00	sam. 12h00-13h00
Orchestre	mer. 14h00–16h00	sam. 14h00–16h00
Musique rock	mer. 11h00–14h00	sam. 13h00–14h00
Groupe rap	mer. 16h00–18h00	sam. 16h00–18h00
Piscine olympique		
Les dauphins – club nautique	mer. 16h00–18h00	sam. 16h00–18h00
Plongée	mer. 14h00–16h00	sam. 14h00–16h00

VILLE D'ANGERS
stade et gymnase André BERTIN

Lucille

Marc et Thierry

Nicolas

Aurélie

Jabel

Loïc

Isabelle

Corinne et Anne-Laure

1a À deux. **Que disent-ils?** *What would they say?*
Exemple: *Lucille – Je fais de la plongée.*
Marc et Thomas – Nous faisons du judo etc.

> *Je fais …*
> *Nous faisons …*

1b Trouve les cours.

Exemple: *Pour Lucille il y a un cours le mercredi*
et le samedi de 14h00 à 16h00 à la piscine olympique.

Rappel: faire *to do*

Faire is an irregular verb, i.e. it doesn't follow a regular pattern.

Singular	Plural
je fais *I do*	nous faisons *we do*
tu fais *you do*	vous faites *you do*
il/elle fait *he/she does*	ils/elles font *they do*

de … à   from … to

1c Où vont-ils? Quand? *When and where do they go?* (1–8)

nom	où	quand
Mélodie		

Mélodie   Benoît   Murielle   Alain   Olivier   Eric   Jérôme   Marjolaine

1d À deux. Vérifiez vos réponses et décidez ce qu'ils font.
Check your answers and work out what activity they are doing.

- Où va Mélodie/Benoît?
- Elle/Il va …
- À quelle heure?
- À ……………
- Que fait-il/elle?
- Il/elle fait …
- Que fais-tu?
- Je fais …
  Je ne fais rien.*

*ne … rien	nothing
je ne fais rien	I don't do anything

Pendant les grandes vacances je fais un stage de sport, c'est super. Le matin, nous faisons de **l'entraînement** et **du jogging**. C'est **fatigant**. L'après-midi **nous jouons au tennis, au football, au volley ou au basket.** C'est **génial**! Le soir nous mangeons dehors et nous chantons autour du feu… C'est cool.
Patrice

Le détective

Saying what 'we' do:

nous jouons	we play
nous faisons	we do
nous chantons	we sing
nous mangeons	we eat

➡ page 138, pt 1.1

2a Lis le texte et copie et complète la grille.

	Il fait	C'est
matin	entraînement/ jogging	fatigant
après-midi		
soir		

2b Écris un texte pour toi en changeant les lettres en gras.
Write a text about yourself by changing the words in bold.

Mini-test   **I can …**

- say what I do in the morning before going to school
- say at what time I get up and go to bed
- say what clubs I go to and what I do

4 Qu'est-ce qu'on pourrait faire ce soir?

Arranging to go out

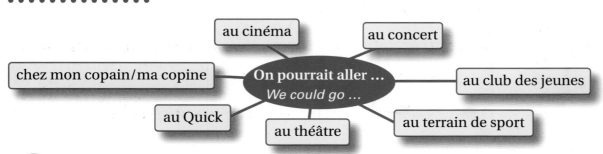

au cinéma   au concert

chez mon copain/ma copine

On pourrait aller …
We could go …

au club des jeunes

au Quick   au théâtre   au terrain de sport

 1a On pourrait aller où?

A   **B**

C

VILLE D'ANGERS
stade
et gymnase
André BERTIN

D

E   **F**

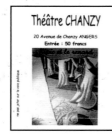

Théâtre CHANZY

20 Avenue de Chanzy ANGERS
Entrée : 50 francs

G

 1b Au téléphone. Qu'est-ce qu'ils vous proposent? (1–8)

2a Brainstorming. Qu'est-ce qu'on pourrait faire ce soir?

Faites ensemble une liste d'activités.

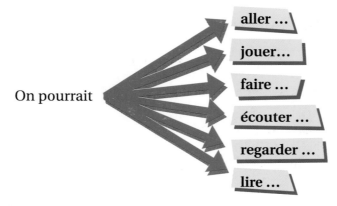

On pourrait

aller …

jouer…

faire …

écouter …

regarder …

lire …

2b À deux. Faites un sketch.

- Qu'est-ce qu'on pourrait faire ce soir?
- Je ne sais pas. Qu'est-ce que tu proposes?
- On pourrait aller:
  au cinéma/au concert/au théâtre/au club des jeunes/au terrain de sport/à la piscine.
- Je ne veux pas!
- Qu'est-ce que tu proposes?
- On pourrait jouer…
  au tennis/au foot/au volleyball/aux cartes/aux échecs/aux jeux vidéos.
- Je ne veux pas!
- On pourrait …
- Ah oui, c'est génial …
- D'accord!

3a Copain-copine. Les excuses! (1–7) Trouve le dessin et la phrase qui correspondent.

A   **B**   **C**   **D**   **E**   **F**   **G**

✓ Je veux … / ✗ Je ne veux pas … parce que

1 je suis trop fatigué(e).
2 je n'ai pas le temps.
3 je n'ai pas d'argent.
4 je n'ai pas mon maillot de bain.
5 j'ai trop de devoirs.

Le détective

| je veux | *I want to* |
| je ne veux pas | *I don't want to* |

➡ page 141, pt 5

3b Écris des excuses. Copie et complète les phrases.

1 Je ne veux pas jouer au tennis parce que …

2 Je ne veux pas aller voir *la Guerre des Étoiles* parce que …

3 Je ne veux pas acheter le CD parce que …

4 Je ne veux pas venir chez toi ce soir parce que …

5 Je ne veux pas aller à la piscine parce que …

5 Ce soir...

Talking about going to the cinema

● Qu'est-ce que tu vas faire ce soir?
● Je vais aller au cinéma. Veux-tu venir avec moi?
● Oui, je veux bien. Qu'est-ce que tu vas voir?
● Je vais voir *la Guerre des Étoiles/ Titanic/Le Roi Lion/Jurassic Park/ Obélix/Goldeneye.*
● Ah oui, je veux bien. C'est à quelle heure?
● 19h45.
● Ah oui, c'est bon.
● On se retrouve à 19h00/19h15/ 19h20/19h25/19h35 devant le cinéma!
● Bon, à tout à l'heure! Au revoir.

1a Qu'est-ce qu'ils vont voir?
À quelle heure vont-ils se retrouver? Écoute et note (1–5).

Exemple:

	film	heure
1	Goldeneye	19h20

Rappel

How to say what you are going to do

je vais aller ...	*I am going to go ...*
tu vas voir ...	*you are going to see ...*

1b À deux. Un jeu de rôle. Répétez le dialogue.
Qu'est-ce que vous allez voir?

1c Invite ton/ta correspondant(e) au cinéma. Copie et complète.

Je vais au cinéma ce soir. Je vais voir ... Veux-tu venir avec moi?
Le film commence à ... On va se retrouver devant le cinéma à ... heures.
Salut

2a **C'est quel genre de film? C'est comment? Écoute et note. (1–5)**
What type of film is it? What is it like?

film	genre	C'est comment?
La Guerre des Étoiles	*science-fiction*	*effrayant*

Titanic   *Jurassic Park*   *Obélix*   *La Guerre des Étoiles*   *Goldeneye*

un film de science-fiction   **un dessin animé**   **un film d'action**
un film d'amour   **un film historique**

génial   **intéressant**   **amusant**   **ennuyeux**   **effrayant**

amusant *funny*

effrayant *terrifying*

2b **Interviewe ton/ta partenaire.**

- Comment trouves-tu les films (de science-fiction)?
- (Intéressant)
- Et les films (historiques)?
- Et les films (d'action)? etc.

2c **Copie et complète.**

Ce soir je vais aller au cinéma avec (John/Helen). Il/elle aime les films …
Moi, j'aime les films … Nous allons voir …

3a **C'est quel film?**

L'histoire raconte le voyage d'un grand bateau qui part de New York pour traverser l'Atlantique. Le bateau heurte un iceberg et sombre dans la mer. La plupart des passagers meurent de froid. C'est un film d'amour, romantique, historique et triste. La fin du film est très émouvante, il faut prévoir un paquet de Kleenex!

3b **Working out what words mean from their context.**
Here are six new verbs and their meanings. Try to pair them up!

raconter	*to die*
traverser	*to sink*
heurter	*to recount/tell a story*
sombrer	*to cross*
mourir (meurent)	*to have ready*
prévoir	*to crash into something*

Bilan

I can...
- *say what I do in the morning*

Je me réveille, Je me lève, Je me douche,
Je m'habille, Je me lave, Je me lave les dents,
Je mange, Je bois, Je sors

I can ...
- *say what time I get up and go to bed*

Je me lève à (sept) heures.
Je me couche à (vingt et une heures trente).

- *use the 24-hour clock*

1 p.m.	13h00	treize heures
6 p.m.	18h00	dix-huit heures
7 p.m.	19h00	dix-neuf heures
8 p.m.	20h00	vingt heures
9 p.m.	21h00	vingt et une heures
10 p.m.	22h00	vingt-deux heures

I can ...
- *say what clubs I go to*
- *... and where they are*
- *... and say I don't do anything*

Je fais du/de la (judo/natation etc.)
la salle de gym/la piscine/le club des jeunes
Je ne fais rien.

I can ...
- *make a suggestion for going out*

On pourrait aller au cinéma/au concert/
au club des jeunes/chez mon copain/ma copine/
à la piscine/au Quick/au théâtre/au terrain de sport

- *say what I don't want to do*
- *... and why*

Je ne veux pas...
parce que je suis trop fatigué(e)/je n'ai pas le temps/
je n'ai pas d'argent/je n'ai pas mon maillot de bain/
j'ai trop de devoirs

I can ...
- *talk about going to the cinema*

Je vais aller au cinéma ce soir.
Je vais voir ...
Veux-tu venir avec moi? Le film commence à ...
On va se retrouver devant le cinéma à ... heures.

- *say what sort of film it is*

C'est un dessin animé/un film de science-fiction/un
film d'action/un film d'amour/un film historique

- *... and what it is like*

C'est génial/intéressant/amusant/ennuyeux/
effrayant

Grammaire

1 Reflexive verbs

Some verbs are called 'reflexive' verbs because they add **me/te/se** in front of the verb. You already know **s'appeler** (to be called).

Je m'appelle …	*I am called …*
Comment tu t'appelles?	*What are you called?*
Il/Elle s'appelle …	*He/she is called …*

These verbs behave in the same way.

Je me réveille	*I wake up*
Je me lève	*I get up*
Je me douche	*I have a shower*
Je m'habille	*I get dressed*
Je me lave	*I get washed*
Je me lave les dents	*I clean my teeth*
Je me couche	*I go to bed*

Que fais-tu?

A   B   C   D   E

2 Faire (*to do*) and aller (*to go*)

Faire is an irregular verb, which means it doesn't follow a regular pattern.

Singulier		Pluriel	
je fais	*I do*	nous faisons	*we do*
tu fais	*you do*	vous faites	*you do*
il/elle fait	*he/she does*	ils/elles font	*they do*

Copy and fill in the right part of the verb.

1 Je … mes devoirs.

2 …-tu du sport?

3 Marc … du VTT.

4 Isabelle … de la natation.

5 Nous … nos devoirs.

6 …-vous du sport?

7 Maurice et Benjamin … du cyclisme.

8 Cécile et Nicole … de la planche à voile.

Aller is another irregular verb.

Singulier		*Pluriel*	
je vais	*I go*	nous allons	*we go*
tu vas	*you go*	vous allez	*you go*
il/elle va	*he/she goes*	ils/elles vont	*they go*

Copy and fill in the right part of the verb.

1 Je … en ville.

2 Où …-tu?

3 Patrice … au collège.

4 Céline … à la piscine.

5 Nous … chez Thomas.

6 Où …-vous?

7 Mes parents … au cinéma.

3 Saying what 'we' do

Nous means 'we'.

After **nous** the verb nearly always ends in **–ons**.

nous jouons	*we play*
nous faisons	*we do*
nous chantons	*we sing*

Copy and fill in the right part of the verb.

1 Nous … au football. (jouer)

2 Nous … nos devoirs. (faire)

3 Nous … une chanson. (chanter)

4 Nous … au cinéma. (aller)

4   Talking about what you are going to do

You use the verb 'to go' in French just as you do in English.

Je vais aller …	*I am going to go …*
Tu vas voir le film.	*You are going to see the film.*
Il va manger un croissant.	*He is going to eat a croissant.*

What are you going to do? Copy and complete.

1 Je … voir un film.

2 Tu … aller à la piscine.

3 Isabelle … écouter de la musique.

4 Paul … manger un burger.

5 Sylvie … jouer au tennis.

6 Tu … acheter des CD.

7 On … regarder la télé.

8 Je … me doucher.

Contrôle révision

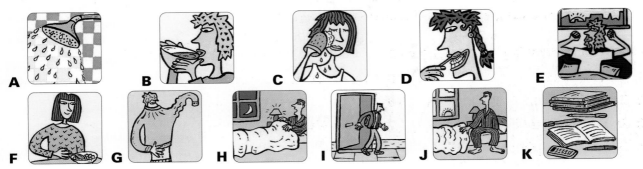

A B C D E

F G H I J K

1 C'est quel dessin? (1–10)

2 Quelle heure est-il? À deux, à tour de rôle.

1 7h30	**3** 13h45	**5** 21h10	**7** 8h30	**9** 18h05
2 8h15	**4** 17h25	**6** 7h45	**8** 14h15	**10** 22h55

3 Trouve les dessins qui correspondent.

1 Je me réveille à sept heures moins dix.

2 Je me lève à sept heures.

3 Je me douche et je m'habille.

4 À sept heures dix je mange mon petit déjeuner. Je mange des céréales.

5 Je bois un chocolat chaud.

6 Je me lave les dents.

7 Je sors de la maison à sept heures vingt.

8 Le soir, je fais mes devoirs.

9 Je me couche à vingt et une heures trente.

4 Qu'est-ce qu'on pourrait faire?

A B C D E F G

En Plus *Copain-copine*

Je m'appelle **Maud**. J'ai 12 ans. Je cherche un ami/une amie qui aime les mêmes choses que moi. J'aime les Boys Bands, la musique, le basket, la nature et la natation. J'aime aussi aller au cinéma et faire les magasins, ce que je n'aime pas, c'est le foot.

J'ai 14 ans et je suis passionné de musique et de cinéma. J'aime aussi jouer au tennis et faire de la planche à voile. Ce que je n'aime pas ce sont les Spice Girls!

Brice

Je m'appelle **Denis** et j'ai 13 ans. Je voudrais correspondre avec un garçon/ une fille de mon âge. J'aime la lecture (surtout les BD), le théâtre, le vélo et les sciences. Ce que je n'aime pas ce sont les Boys Bands.

Je vais bientôt avoir 14 ans et je voudrais correspondre avec des filles de mon âge qui habitent en France. J'adore le cyclisme et la musique, surtout les Boys Bands. J'habite à la Martinique et je joue au basket et je fais beaucoup de natation. Ce que je n'aime pas c'est le tennis!
Nadège

J'ai 13 ans et je cherche une fille/un garçon super sympa comme correspondant(e). J'adore la nature, le sport et la musique, sauf les Boys Bands!!! J'adore les animaux. J'ai deux chiens Husky et deux chattes.
Emmanuelle

Je m'appelle **Antoine** et j'ai 13 ans et j'habite en Guadeloupe. Je recherche des filles ou des garçons de mon âge qui habitent en France. J'aime danser, écouter de la musique pop ou rock, et faire du sport. J'aime aussi la lecture, la natation et les animaux. Je déteste les Boys Bands, ma sœur et le collège!

1a Copie et remplis la grille.

	âge	aime	n'aime pas
Maud			
Brice			
Nadège			
Emmanuelle			
Denis			
Antoine			

1b Qui parle? (1–6)

1c À deux. Discutez. Choisis un/une correspondant(e) pour toi et pour ton/ta partenaire.

- ● Je choisis Denis/Nadège pour toi.
- ● Pourquoi?
- ● Parce que tu aimes … et il/elle aime …
- ● Parce que tu n'aimes pas … et il/elle n'aime pas …

Rappel: **aimer** *to like*

j'aime	*I like*
je n'aime pas	*I don't like*
tu aimes	*you like*
tu n'aimes pas	*you don't like*
il/elle aime	*he/she likes*
il/elle n'aime pas	*he/she doesn't like*

1d Écris une réponse au correspondant/à la correspondante de ton choix.

2a Copain-copine. Qui sort avec qui?

Ce soir nous allons au cinéma. Nous allons voir le film *X-files, Combattre le futur*, c'est un film de science-fiction avec David Duchovny. C'est super.
Olivier

Ce soir je vais au cinéma avec mon petit copain. Nous allons voir le film Godzilla avec Jean Reno. Je l'aime bien.
Elvire

Ce soir je vais au cinéma, avec ma petite copine, mais je ne veux pas voir le film.
Elle aime les films historiques, mais ce n'est pas mon style.
Marc

Ce soir je vais au cinéma avec mon petit copain. Il adore les films science-fiction. Pour lui c'est le suspense!!! Moi je préfère les films d'amour.
Marjolaine

Ce soir je vais au cinéma avec ma copine. Elle a choisi le film parce qu'elle aime les effets spéciaux mais, moi, je n'aime pas les films avec des monstres.
Nicolas

Ce soir je vais au cinéma avec mon copain. Nous allons voir *Le masque de Zorro* avec Anthony Hopkins et Catherine Zeta Jones. J'aime les films romantiques et historiques.
Sophie

	film	*avec qui?*
Olivier	*Combattre le futur*	
Elvire		
Marc		
Marjolaine		
Nicolas		
Sophie		

2b Qui parle? (1–6)

3a Jouez en groupe.

> Je suis allé(e) au cinéma et j'ai vu (*X-Files*). C'est un film (de science-fiction)
> *I went to the cinema and I saw …*

je suis allé(e)	*I went*
j'ai vu	*I saw*

3b Fais la liste des films que vous avez vus. C'est quel genre de film?
Make a list of the films you have seen and say what sort of films they are.

> Je suis allé(e) au cinéma et j'ai vu (**X-Files**). C'est un film (de science-fiction)
> et j'ai vu (**Titanic**), c'est un film (d'amour) … etc.

Chanson

Veux-tu sortir ce soir
Avec Abélard,
Amina et Aïcha?
On pourrait aller au cinéma.
Voir un film d'action.
Ou de science-fiction.

Je n'ai pas d'argent
Et je n'ai pas le temps.
J'ai trop de devoirs.
Je ne peux pas sortir ce soir.

Veux-tu sortir samedi
Avec Dimitri,
Amandine et Justine?
On pourrait aller à la piscine.
Ou faire du vélo
Au parc du château.

Je déteste l'eau.
Je n'ai pas de vélo.
Alors, non merci.
Je ne veux pas sortir samedi.

Veux-tu sortir demain
avec Benjamin,
Anne, Myriam et Mégane?
On pourrait aller à la campagne
Ou à la montagne,
Et faire une balade.

Ah, quelle bonne idée!
J'aime les randonnées.
Alors, je veux bien.
Oui, je peux sortir demain.
(À demain!)

1 **Choisis la bonne lettre (a, b ou c) pour chaque phrase.**

a une invitation/une suggestion	**b** une excuse	**c** une acceptation

1 Je n'ai pas de vélo.
2 Je n'ai pas d'argent.
3 Veux-tu sortir ce soir?
4 Veux-tu sortir samedi?
5 On pourrait aller à la piscine.

6 On pourrait aller à la campagne.
7 On pourrait aller au cinéma.
8 Veux-tu sortir demain?
9 J'ai trop de devoirs.
10 Je veux bien.

2 **Choisis deux dessins pour le nouveau couplet.**

Veux-tu sortir dimanche
Avec Anne et Blanche,
Claire, Pierre et Kader?
On pourrait aller à un concert
De musique techno
Au Trocadéro.

Je n'aime pas la techno
Je préfère le piano.
Alors, non, non, non
Je veux rester à la maison.

A   **B**

C   **D**

Mots

Que fais-tu le matin?	*What do you do in the morning?*
Je me réveille.	*I wake up.*
Je me lève.	*I get up.*
Je me lave.	*I get washed.*
Je me lave les dents.	*I clean my teeth.*
Je me douche.	*I have a shower.*
Je m'habille.	*I get dressed.*
Je bois.	*I drink.*
Je mange.	*I eat.*
Je sors.	*I go out.*
Je me couche.	*I go to bed.*

L'heure	*The time*
À quelle heure?	*At what time?*
à sept heures	*at seven o'clock*
à sept heures …	*at … past seven*
…cinq	*7.05*
…dix	*7.10*
… quinze	*7.15*
… vingt	*7.20*
… trente	*7.30*
à six heures quarante	*6.40*
à six heures quarante-cinq	*6.45*
à six heures cinquante-cinq	*6.55*
12h00/midi	*12 o'clock*
13h00/treize heures	*1 p.m.*
18h00/dix-huit heures	*6 p.m.*
19h00/dix-neuf heures	*7 p.m.*
20h00/vingt heures	*8 p.m.*
21h00/vingt et une heures	*9 p.m.*
22h00/vingt-deux heures	*10 p.m.*

Mes passe-temps préférés	*My favourite hobbies*
Que fais-tu?	*What do you do?*
Je ne fais rien.	*I don't do anything.*
Je fais …	*I do …*
Il/Elle fait …	*He/she does …*
du judo	*judo*
du basket	*basketball*
du badminton	*badminton*
de la gymnastique rythmique et sportive	*gymnastics*
de la danse	*dance*
d'art dramatique	*theatre*
de la guitare classique ou électrique	*classic/electric guitar*
de l'orchestre	*orchestra*
de la musique rock	*rock music*
du rap	*rap music*
de la plongée	*diving*

Ce soir	*This evening*
Qu'est-ce que tu proposes?	*What do you suggest?*
On pourrait …	*We could …*
aller à la piscine/ au club des jeunes	*go to the swimming pool/ youth club*
jouer au tennis/ aux cartes	*play tennis/cards*
Pourquoi?	*Why?*
Je suis trop fatigué(e).	*I am too tired.*
Je n'ai pas le temps.	*I haven't the time.*
Je n'ai pas d'argent.	*I haven't any money.*
Je n'ai pas mon maillot de bain.	*I haven't got my swimming costume/trunks.*

J'ai trop de devoirs.	*I have too much homework.*
Qu'est-ce que tu vas faire ce soir?	*What are you doing tonight?*
Je vais aller au cinéma.	*I am going to go to the cinema.*
Qu'est-ce que tu vas voir?	*What are you going to see?*
Je vais voir ….	*I am going to see …*
C'est comment?	*What's it like?*
amusant	*funny*
cool	*cool*
fatigant	*tiring*
génial	*great*
intéressant	*interesting*
ennuyeux	*boring*
effrayant	*terrifying*
C'est à quelle heure?	*When is it on?*
Veux-tu venir avec moi?	*Do you want to come with me?*
Oui, je veux bien.	*Yes, I would like to.*
Non, je ne veux pas!	*No, I don't want to!*

1 *Ma famille*

Talking about your family

L'arbre généalogique

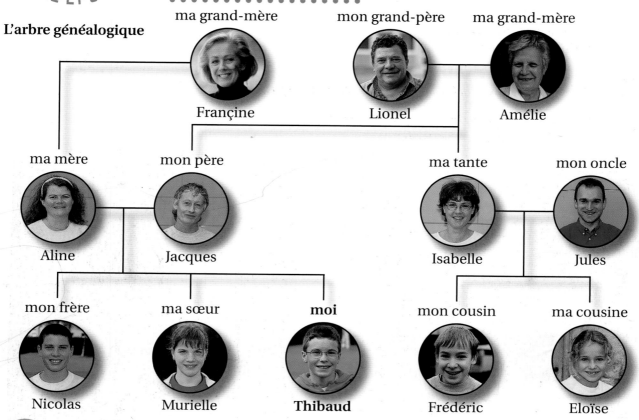

ma grand-mère — Françine
mon grand-père — Lionel
ma grand-mère — Amélie

ma mère — Aline
mon père — Jacques
ma tante — Isabelle
mon oncle — Jules

mon frère — Nicolas
ma sœur — Murielle
moi — **Thibaud**
mon cousin — Frédéric
ma cousine — Eloïse

1a Lis et trouve les noms. Comment s'appelle …?

1 … le grand-père de Thibaud
2 son père
3 sa mère
4 sa sœur
5 son frère
6 son cousin
7 sa cousine
8 sa tante
9 son oncle
10 Comment s'appellent ses grand-mères?

Rappel		
How to say my, your and his/her		
Masc.	**Fem.**	**Plural**
mon	ma	mes (my)
ton	ta	tes (your)
son	sa	ses (his/her)

1b Comment s'appellent-ils? Ils ont quel âge?
Écoute et vérifie. (1–12)

6   10   12   14   15   34

38   45   47   63   68

Rappel	
30	trente
40	quarante
50	cinquante
60	soixante

À tour de rôle. Posez et répondez aux questions.

- Comment s'appelle (le père) de Thibaud?
- Il/elle s'appelle …
- Quel âge a-t-il/elle?
- Il/elle a … ans.

2a Choisis une famille, A ou B, et fais ton arbre généalogique.

Exemple: **grand-père**   **grand-mère**
    Sylvain   *Nathalie*

A

Nathalie   Sylvestre   Fabienne
Grégory
Sylvain
Laure
Pascal
moi   Maximilien

B

Henri   Janine   Ahmed
Mohammed   Fatima
Karima   Gauthier   moi   Minou

2b **Interviewe ton/ta partenaire.**

- Comment s'appelle ton père/ta mère?
- Mon père/ma mère s'appelle …
- Comment s'appelle ton frère/ta sœur?
- Il/elle s'appelle … /Je n'ai pas de frères et sœurs etc.

2c **Dessine et présente ta famille (ou une famille imaginaire).**

Mon grand-père/ma grand-mère s'appelle …
Mon père/ma mère s'appelle …
Mon beau-père/ma belle-mère s'appelle …
Mon beau-frère/ma belle-sœur s'appelle …
Mon frère/ma sœur s'appelle …
Mon demi-frère/ma demi-sœur s'appelle …
Mon cousin/ma cousine s'appelle …
Mon oncle /ma tante s'appelle …
Mon chien s'appelle … etc.

2 *Je mesure*

Saying how tall you are

Chloë est plus grande que Virginie.

Christophe est plus grand que Jérôme.

Guillaume est plus petit que Ludo.

Charlotte est plus grande que Simone.

1a **Qui est-ce?**

Exemple: **1a** *C'est Virginie.* **1b**

Le détective

How to say who is smaller or taller

plus	*more*	plus grand(e)	*bigger*
		plus petit(e)	*smaller*

➡ **page 143, pt 14**

1b **À tour de rôle. Pose des questions à ton/ta partenaire.**

- ● Qui est plus grande, Chloë ou Virginie?
- ● Chloë est plus grande. Qui est plus petit, Christophe ou Jérôme?
- ● … est plus petit. Qui est plus grand, Ludo ou Guillaume?
- ● … est plus grand. Qui est plus petite, Simone ou Charlotte?
- ● … est plus petite.

1c **Ils mesurent combien?** (1–8) *How tall are they?*

Virginie	Chloë	Jérôme	Christophe	Ludo	Guillaume	Simone	Charlotte

1m53	1m70	1m45	1m72	1m64	1m58	1m68	1m72

Rappel

70	soixante-dix
75	soixante-quinze
80	quatre-vingts
85	quatre-vingt-cinq

Le détective

How to say who is tallest or smallest:

Il est **le** plus grand/Il est **le** plus petit.

Elle est **la** plus grande/Elle est **la** plus petite.

➡ **page 143, pt 14**

1d Rangez les garçons et les filles par ordre de grandeur.

List the boys and girls in order of height.

Qui est le plus grand?

Qui est la plus grande?

… est le plus grand etc.

Qui est le plus petit?

Qui est la plus petite?

Rappel

You use:

grand and **petit** when you are talking about a boy

grande and **petite** when you are talking about a girl

1e Écoute et note. (1–4)

1 Qui est le plus grand des garçons?
2 Qui est la plus grande des filles?
3 Qui est le plus petit des garçons?
4 Qui est la plus petite des filles?

Learning to learn:

Grand *and* petit *are called describing words or adjectives.*

They add an –e when they refer to something feminine.

In French you do not usually pronounce the 'd' or 't' at the end of the word. However, when it is followed by 'e' you have to pronounce it.

Listen to the way the French children say it and copy them.

2a Faites un sondage de classe. Pose la question à huit personnes.

Tu mesures combien? Je mesure …

Qui est le plus grand? Qui est la plus grande?
Qui est le plus petit? Qui est la plus petite?

2b Et toi? Copie et complète les phrases.

Je suis plus grand(e) que*(mon frère)
Je suis plus petit(e) que …
… est plus grand que moi
… est plus grande que moi
… est plus petit que moi
… est plus petite que moi

* que *than*

3 *La tête*

Talking about parts of the face

La figure

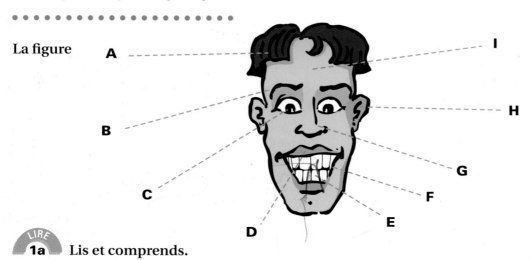

| la bouche |
| les cheveux |
| les dents |
| les lèvres |
| le nez |
| les oreilles |
| la peau |
| les sourcils |
| les yeux |

1a Lis et comprends.

> **Learning to learn:**
> Make a list of the words you know already, e.g. cheveux – *hair*
> Make a list of the ones that you can guess, e.g. les dents *(dentist)* – *teeth*
> Check your list with your partner.
> Write down the words that you have got left and look them up in the vocabulary.

1b Écoute et vérifie. (A–I)

1c À deux. C'est un produit pour…

> *Exemple:* A – *Le dentifrice, c'est pour …*

A   **B**   **C**   **D**   **E**

| la peau | les cheveux | les oreilles | les dents | les yeux |

1d Écoute la pub. C'est pour quel produit? (1–5)

1e Réalise des pubs …

pour:
1 les cheveux plus lisses.
2 les dents plus blanches.
3 la peau moins grasse.
4 les yeux plus beaux.
5 les lèvres moins sèches.

lisse	smooth
gras/grasse	greasy
sec/sèche	dry
beau/belle	beautiful

Utilisez:

Page des courriers

1 J'ai les cheveux roux et secs. Quel shampooing est pour moi?

2 Mes cheveux sont trop gras. Je les lave tous les jours mais ils sont toujours trop gras. Qu'est-ce que je peux faire?

3 Je ne peux rien faire avec mes cheveux. Ils sont trop secs. Qu'est-ce que vous me conseillez?

4 J'ai les boutons partout sur mon visage. Qu'est-ce que je peux faire?

5 Je cherche un shampooing pour mes cheveux. J'ai les cheveux blonds. Qu'est-ce que vous me conseillez?

| J'ai les boutons. | *I have spots* |

2a Qui est-ce?

Exemple: **1** – *E*

A   B   C   D   E

2b Trouve la bonne solution.

Exemple: **1** – *C*

A B C D E

2c Écris une lettre.

Exemple: Je cherche un shampooing pour mes cheveux. J'ai les cheveux … etc.

Mini-test	I can …

● talk about my family
● say how tall I am
● name the parts of my face

4 Le corps

Talking about parts of the body

le bras	le cou
le dos	l'épaule
la jambe	la langue
la patte	le pied
la queue	le doigt
la tête	la main
le genou	le poil

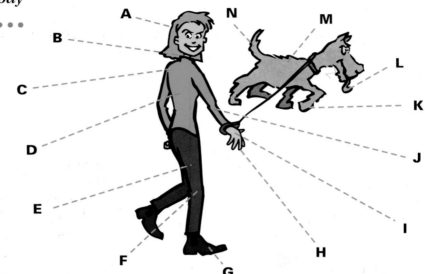

1a Lis et comprends.

Regarde la liste pendant 2 minutes.

1b À deux.

> *A? Qu'est-ce que c'est?*

> *A, c'est la tête.*
> *B, qu'est-ce que c'est?*

> *Je ne sais pas.*

Learning to learn:
How many words in the list do you know already?
How many can you guess?
Do you know these English words: *digit, manual, dorsal, collar, pedal?*
Do they help you to work out any of the French words?

Il faut le chercher dans le vocabulaire	*we'll have to look it up*
Il faut le demander au prof	*we'll have to ask the teacher*

1c Écoute et vérifie. (A–N)

Le détective

Singular	Plural
une main	deux mains
un bras	deux bras
un genou	deux genoux

➡ page 142, pt 10

1d Fais un dessin et décris-le.

> J'ai une tête et un cou. J'ai deux épaules, deux bras etc.

 2a Lis le texte et trouve.

> Voici mon chien. Il est grand.
> Il a le poil brun. Il a quatre
> pattes blanches, une longue
> queue blanche et une énorme
> langue rose.

Rappel

Adjectives agree with the word they are describing.

Masc.	Fem.	Plural
grand	grande	grands/grandes
blanc	blanche	blancs/blanches
rose	rose	roses

Trouve les mots:
1 fur   2 tail   3 paws   4 tongue

2b À deux. Choisis et décris ton chien!

 2c Invente un monstre et décris-le.

> Le Profausaure
>
> C'est (un animal préhistorique). Il est (grand).
> Il a (le poil gris). Il a (quatre mains).

5 J'ai mal

Saying what is wrong with you and what you need

LIRE
1a Relie les dessins avec les bulles.

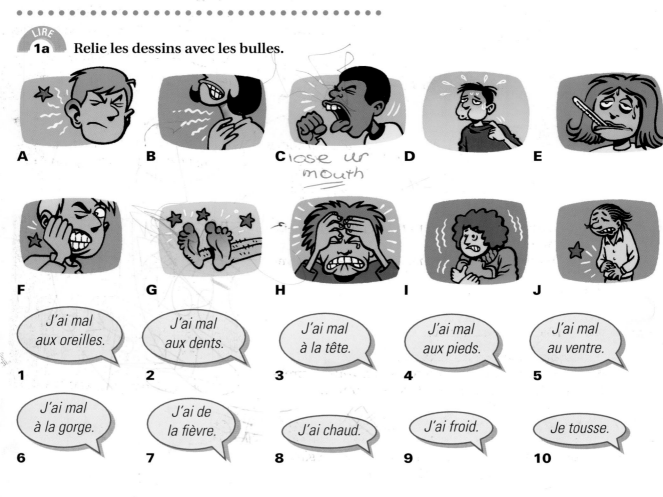

A   B   C   D   E

F   G   H   I   J

1 J'ai mal aux oreilles.

2 J'ai mal aux dents.

3 J'ai mal à la tête.

4 J'ai mal aux pieds.

5 J'ai mal au ventre.

6 J'ai mal à la gorge.

7 J'ai de la fièvre.

8 J'ai chaud.

9 J'ai froid.

10 Je tousse.

ECOUTER
1b Qu'est-ce qui ne va pas? (1-10)

Exemple: **1** *A*

PARLER
1c À deux. Vérifiez vos réponses.

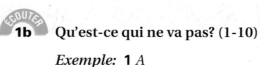

1? *Qu'est-ce qu'il a?*

Il a mal aux oreilles. **2?**

Il a mal aux …

2a Lis et trouve le bon conseil.

1 J'ai de la fièvre et j'ai mal à la gorge.

2 J'ai mal aux dents.

3 J'ai mal à la tête.

4 Je tousse tout le temps.

A Prenez de l'aspirine.

B Prenez du sirop.

C Sucez des pastilles pour la gorge.

D Restez au lit.

E Mettez un pull.

F Utilisez une crème pour la peau.

G Prenez des comprimés.

H Allez chez le dentiste.

I Restez au chaud.

2b À la pharmacie. Qu'est-ce qui ne va pas? Qu'est-ce qu'on leur conseille? (1–6)
What's wrong with them? What advice are they given?

Il/elle a …

2c Jeu de rôle. À la pharmacie.

- Bonjour monsieur/madame.
- Bonjour monsieur/mademoiselle. Vous désirez?
- J'ai … Je voudrais quelque chose pour ….

- Voici … des comprimés/de l'aspirine/du sirop.
- Merci monsieur/madame.

2d Copie et complète la lettre.

mal à la gorge   de la fièvre   tousse   mal à la tête

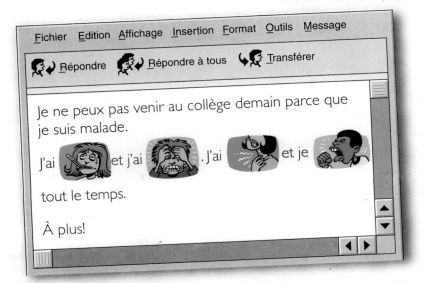

Fichier   Edition   Affichage   Insertion   Format   Outils   Message

Répondre   Répondre à tous   Transférer

Je ne peux pas venir au collège demain parce que je suis malade.

J'ai ____ et j'ai ____ . J'ai ____ et je ____ tout le temps.

À plus!

Bilan

I can …
- *name my relations*

mon grand-père/ma grand-mère s'appelle …
mon père, ma mère
mon frère/mes frères
ma sœur/mes sœurs
ma tante, mon oncle
mon cousin, ma cousine

- *say how old they are*

Il/Elle a … ans

I can …
- *say how tall I am*
- *say who is taller than (me)*
- *… and who is the tallest*
- *… and who is the smallest*

Je mesure (1m65).
Gilles/Evelyne est plus grand(e) que (moi)
Gilles/Evelyne est le/la plus grand(e)
Il/Elle est le/la plus petit(e)

I can …
- *name five parts of the face*

les cheveux, les dents, les lèvres, le nez,
les oreilles, la peau

- *… and five parts of the body*

le doigt, le dos, l'épaule, le genou, la jambe

I can …
- *say what is wrong with me and what is wrong with someone else*

J'ai mal; Il/Elle a mal
au ventre/à la tête/gorge/aux dents/pieds/oreilles
J'ai; Il/Elle a
de la fièvre
chaud/froid
Je tousse; Il/Elle tousse

- Say *what I need*

Je voudrais quelque chose pour …

- Offer *advice*

Voici des comprimés/de l'aspirine/du sirop
Restez au lit/au chaud
Mettez un pull
Sucez des pastilles pour la gorge
Utilisez une crème pour la peau
Allez chez le dentiste

Grammaire

1 How to say 'my', 'your' and 'his/her'*

my	mon	ma	mes
your	ton	ta	tes
his/her	son	sa	ses

You use:

mon/ton/son	*in front of masculine words: mon/ton/son père*
ma/ta/sa	*in front of feminine words: ma/ta/sa mère*
mes/tes/ses	*in front of plural words: mes/tes/ses parents*

*Remember 'his' and 'her' are both the same in French.

son frère	*his/her brother*
sa sœur	*his/her sister*
ses parents	*his/her parents*

Paul te présente sa famille. Qu'est-ce qu'il dit?

1 C'est mon père.　　**2** C'est .. mère.　　**3** C'est … frère.

4 Ce sont … sœurs.　　**5** C'est … chien.

Et la famille de Viviane:

6 C'est son père.　　**7** Ce sont … frères.　　**8** C'est … sœur.

9 C'est … cousin.　　**10** C'est … cousine.

2 How to say 'big' and 'small'

grand(e) *big*; petit(e) *small*

grand and **petit** add –e when you are talking about a girl or something feminine.

Masculin	*Féminin*
Jérôme est grand.	Nicole est grande.
Paul est petit.	Marjolaine est petite.
Le livre est petit.	La table est grande.

3 How to say someone is bigger or smaller than someone else

(Christophe) est plus grand/petit que (Jérôme).
(Virginie) est plus grande/petite que (Chloë).

4 How to say who is tallest or shortest

Jérôme est le plus grand/le plus petit.
Virginie est la plus grande/la plus petite.

5 Plurals

Most words in French are made plural by adding **–s** (just as in English).
un frère, deux frères   *one brother, two brothers*
Words which already end in **–s** stay the same.
un bras, deux bras   *one arm, two arms*
Some words which end in **–ou**, **–au** and **–eu** add an **–x**.
un genou, deux genoux   *one knee, two knees*

Contrôle révision

1 **Comment s'appellent-ils? (1–10)**

| Aline | Benjamin | Cécile | Eric | Gwenaëlle | Laure | Lionel | Nicolas | Sophie | Thomas |

1 mon grand-père, 62

2 ma grand-mère, 58

3 mon père, 37

4 ma mère, 34

5 ma tante, 39

6 mon oncle, 36

7 mon frère, 19

8 ma sœur, 17

9 ma cousine, 11

10 mon cousin, 14

2 **Quel âge ont-ils? Qu'est-ce qu'il dit?**

> *Exemple: Mon grand-père/ma grand-mère a … ans*

3 **Lis et trouve le bon conseil.**

1 Ma grand-mère est malade. Elle a de la fièvre.
2 Mon grand-père tousse.
3 Ma mère a mal à la gorge.
4 Mon frère a froid.
5 Ma sœur a mal aux dents.

> *Allez chez le dentiste.*   *Sucez des pastilles.*   *Prenez du sirop.*   *Restez au lit.*   *Mettez un pull.*

4 **Que disent-ils? Donne-leur un conseil!**

Marianne   Julien   Anne   Isabelle   Nicolas

> *Exemple:* ● *J'ai de la fièvre.*
> ● *Restez au lit.*

EN PLUS *Jeu Xplode*

1a Lis et écoute. Qui est-ce? Les nouveaux personnages du Jeu Xplode.
These are the new characters in the game Xplode.

Il est très féroce. Il attaque ses adversaires à deux mains. Il a trois doigts en forme de griffes électroniques sur chaque main. Il a deux pattes énormes pour marcher sur les murs et le plafond. Il a les yeux noirs.

Elle a les jambes robustes et les bras longs. Elle a les cheveux courts et noirs. Elle a les yeux verts. Elle n'est pas très jolie, mais elle est très aventureuse et elle court et saute très bien.

Il a de grands yeux rouges pour voir dans la nuit. Il a les bras courts et deux mains énormes en forme de pinces de crabe. Il est très fort. Ses jambes sont très solides et ses pattes sont grandes, et il a une grande queue comme un kangarou.

Elle est petite, aux yeux bleus pénétrants, et elle porte ses cheveux en queue de cheval. Elle est très agressive. Elle peut hypnotiser ses adversaires avec ses yeux.

| Xoman | Excibelle | Flora Kruft | Machoman |

Learning to cope with new words:

Guess what these words are likely to mean: féroce, robuste.

These sound like the English: attaque, adversaire, électronique.

Look at the picture: il a trois doigts en forme de griffes.

Try to remember: pattes. *If you have forgotten, ask someone else.*

1b **Lis et réponds.**

1 Qui a les yeux rouges?
2 Qui a les yeux verts?
3 Qui a les yeux bleus?
4 Qui a les yeux noirs?

5 Qui est aggressive?
6 Qui est féroce?
7 Qui est aventureuse?
8 Qui est très fort?

1c **À deux. Vérifiez vos réponses.**

Qui a les yeux rouges?

Xoman a les yeux rouges.

1d **Invente un nouveau personnage pour le jeu.**

Il/elle a les yeux … et les cheveux …

Il/elle a …

Il/elle est …

2a Qu'est-ce qu'ils ont acheté? Range les affaires dans le bon ordre. (1–12)

A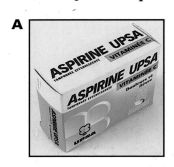

B

C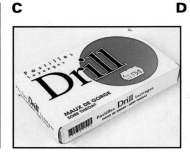

D

E

F

G

H

I

J

K

L

2b Jouez en groupe.

Je suis allé(e) à la pharmacie et j'ai acheté ...

je suis allé(e)	*I went*
j'ai acheté	*I bought*

3 Écris un poème.

J'ai des yeux ...	pour	te sentir
des oreilles		te toucher
un nez		t'écouter
des mains		te dire que je t'aime
et j'ai une bouche		te voir

Chanson

Je suis amoureux de Nabila,
Elle est marrante, elle est sympa.
Elle va souvent à la piscine
Avec ma cousine Amandine.
Je pense tout le temps à Nabila,
Mais Nabila préfère Thomas.

Refrain

Je ne veux pas me lever
Je ne veux pas m'habiller
Je ne peux rien manger
Je veux seulement pleurer.

Ah! Thomas est plus grand que moi,
Oh, là, là, j'ai les cheveux gras.
Ah! Thomas a les cheveux blonds,
Aïe! J'ai des boutons sur le front.
C'est vrai, j'aime beaucoup Nabila,
Mais j'ai peur qu'elle se moque de moi.

Refrain

Midi et demi à la cantine,
Je déjeune avec ma cousine,
Avec sa copine Nabila.
Zut! Il y a aussi Thomas.
Bon, je souris à Nabila,
Mais elle prend la main de Thomas.

Refrain

1 Qui est Thomas? Qui est le cousin d'Amandine?

A

B

2 Recopie et complète le journal de Nabila.

Le cousin de ma _____ Amandine est amoureux
de moi. Il est sympa, mais il a les _____ gras et
des _____ sur le front. Moi, je préfère Thomas.
Thomas _____ marrant. Il est grand et il a les
cheveux _____. Je ne peux rien _____. Je
pense tout le _____ à Thomas. Je suis amoureuse
de Thomas ...

blonds	boutons
cheveux	copine
est	manger
temps	

Mots

Ma famille	My family
mon arbre généalogique	my family tree
mon grand-père	my grandfather
ma grand-mère	my grandmother
mon père	my father
ma mère	my mother
ma tante	my aunt
mon oncle	my uncle
mon frère	my brother
ma sœur	my sister
ma cousine	my cousin (f)
mon cousin	my cousin (m)
moi	me

Les nombres	Numbers
trente	30
quarante	40
cinquante	50
soixante	60
soixante-dix	70
soixante-quinze	75
quatre-vingts	80
quatre-vingt-cinq	85
quatre-vingt-dix	90
quatre-vingt-quinze	95

Tu mesures combien?	How tall are you?
Je mesure …	I am … tall
Je suis …	I am …
Il/Elle est …	He/she is …
petit(e)	small
grand(e)	big
plus petit(e)	smaller
plus grand(e)	bigger
le/la plus petit(e)	the smallest
le/la plus grand(e)	the biggest
que	than

Ma tête	My head
les cheveux	hair
la dent (les dents)	tooth (teeth)
les lèvres (f)	lip(s)
le nez	nose
l'oreille (les oreilles)	ear(s)
la peau	skin
le sourcil (les sourcils)	eyebrow(s)
les yeux	eyes
J'ai les cheveux …	I have …. hair
gras	greasy
secs	dry
beaux	beautiful
lisses	smooth

Le corps	The body
le bras (les bras)	the arm(s)
le cou	neck
le doigt (les doigts)	finger(s)
le dos	back
l'épaule (les épaules)	shoulder(s)
le genou (les genoux)	knee(s)
la jambe (les jambes)	leg(s)
la main (les mains)	hand(s)
le pied (les pieds)	foot (feet)
la patte (les pattes)	paw(s)
la queue	tail
la langue	tongue
le poil	hair/fur

J'ai mal	*I am not well*
J'ai …	*I have …*
mal au ventre	*stomach ache*
mal à la gorge	*a sore throat*
mal à la tête	*headache*
mal aux dents	*toothache*
mal aux oreilles	*earache*
mal aux pieds	*sore feet*
de la fièvre	*a temperature*
J'ai chaud.	*I am hot.*
J'ai froid.	*I am cold.*
Je tousse.	*I have got a cough.*

À la pharmacie	*At the chemist's*
Je voudrais quelque chose pour …	*I would like something for …*
Voici ..	*Here is/here are …*
des comprimés	*some pills*
de l'aspirine	*some aspirin*
du sirop	*some medicine*
du shampooing	*some shampoo*
Prenez de l'aspirine.	*Take some aspirin.*
Restez au lit.	*Stay in bed.*
Prenez des comprimés.	*Take some pills.*
Prenez du sirop.	*Take some medicine.*
Mettez un pull.	*Put on a pullover.*
Sucez des pastilles pour la gorge.	*Suck some throat pastilles.*
Utilisez une crème pour la peau.	*Use a skin cream.*
Restez au chaud.	*Stay in the warm.*
Allez chez le dentiste.	*Go to the dentist's.*

1 *Le petit déjeuner*

How to say what you eat and drink for breakfast

Le petit déjeuner

un croissant
le pain
les céréales
la confiture
un pain au chocolat
le fruit
le chocolat chaud
le jus d'orange
le lait
le café

1a Lis et comprends. Fais une liste des mots que tu connais.

Exemple: **A** – *un croissant*

1b À deux. Compare ta liste avec la liste de ton/ta partenaire.

- ● **A**, c'est un croissant.
- ● Oui, d'accord, **B**, c'est un pain au chocolat.
- ● Ah non, **B**, ce sont les céréales.
- ● O.K. les céréales. **C**, c'est …?
- ● Je ne sais pas. Qu'est-ce que c'est?
- ● **C**, c'est …

1c Écoute et vérifie. (A–J)

1d Fais la liste. Que manges-tu et que bois-tu pour le petit déjeuner?

Je mange Il/elle mange	*un croissant/un pain au chocolat/un fruit* *du pain/du pain grillé* *de la confiture* *des céréales*
Je bois Il/elle boit	*un jus d'orange* *du chocolat chaud/du lait/du café/du thé*

2a Que mangent-ils et que boivent-ils au petit déjeuner? (1–9)

Exemple: **1** *B, I*

2b À deux, à tour de rôle. Vérifiez vos réponses.

- **1** Il mange des céréales et il boit du lait.
- D'accord. **2** Il mange (un fruit) et il boit (du lait).
- Non, il mange (un fruit) et il boit (un jus d'orange).

2c Que mangent-ils et que boivent-ils?

> Au petit déjeuner, je mange des céréales et du pain grillé et je bois du chocolat chaud.

> Je ne mange rien*.

> Je mange des céréales avec du lait et un fruit et je bois du café.

> Je mange un pain au chocolat et je bois du lait.

> Je mange un croissant et je bois du café au lait.

je ne mange rien*	*I don't eat anything*
je ne bois rien	*I don't drink anything*
du pain grillé	*toast*

Le détective

How to say 'some':

	Masc.	Fem.	Plural
some	du (de l')	de la (de l')	des

We don't always use 'some' in English but in French you always put 'some' in:

Je mange des céréales	*I eat (some) cereal*
Je bois du lait	*I drink (some) milk*

➡ page 143, pt 11

3a Interviewe ton/ta partenaire et note ses réponses.

- Qu'est-ce que tu manges au petit déjeuner?
- Je mange …
- Qu'est-ce que tu bois?
- Je bois …

3b Le petit déjeuner de Denis et de Gwenaëlle.
Qu'est-ce qu'il/elle mange et qu'est-ce qu'il/elle boit?

Exemple: *Il mange … et il boit …*

2 Le déjeuner

Saying what you eat for lunch

lundi	mardi	jeudi	vendredi
pamplemousse	carottes râpées	saucisson	salade verte
bifteck	poulet	steak haché	jambon
frites	riz	pâtes	pommes de terre à la vapeur
tomates	haricots	petits pois	carottes
yaourt	tartelette à l'abricot	compote de pommes	mousse au chocolat

C'est pour quel jour?

 1a Lis et comprends.

> *Learning to learn:*
> 1 *Match the pictures and the words.*
> 2 *Try to deduce the meaning of the new words from the pictures.*
> 3 *Check the new words with a partner.*
> - **Le riz c'est *rice*?**
> - Oui.
> - **Les carottes râpées? C'est *roasted carrots*?**
> - **Non, c'est *grated carrot*.**

 1b Écoute et lis.
Attention à la prononciation.

 1c C'est quel jour? (1–4)

Rappel you don't pronounce the 't' at the end of a word

Now try saying these words: *plat, dessert, yaourt, poulet, haricot, abricot*

 2a Qu'est-ce que tu manges et qu'est-ce que tu ne manges pas?
Interviewe ton/ ta partenaire et note ses réponses:

Manges-tu (de la viande)?

Oui, je mange de la viande.

Non, je ne mange pas de viande.

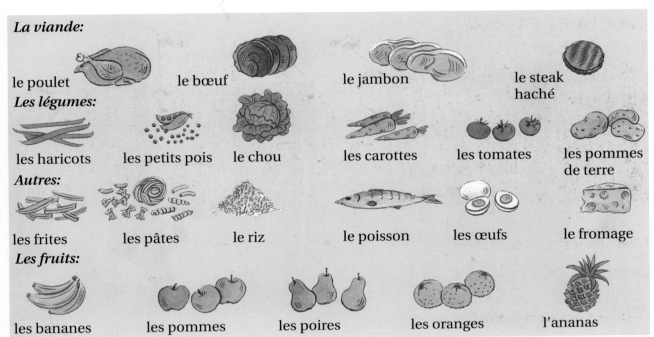

La viande:

le poulet   le bœuf   le jambon   le steak haché

Les légumes:

les haricots   les petits pois   le chou   les carottes   les tomates   les pommes de terre

Autres:

les frites   les pâtes   le riz   le poisson   les œufs   le fromage

Les fruits:

les bananes   les pommes   les poires   les oranges   l'ananas

2b Fais la liste de:

1 ce que tu manges et ce que tu ne manges pas.
2 ce que ton/ta partenaire mange et ne mange pas.

Rappel			I eat (some) ...
	Masc. (**le** words)	Fem. (**la** words)	Plural (**les** words)
Je mange	du poisson	de la viande	des pommes
Il/elle mange	du jambon	de la salade	des frites
I don't eat (any) ...			
	Je/il/elle ne mange pas de poisson/viande/frites.		

3a Lis et comprends.
C'est le plat préféré de qui?

Moi, mon plat préféré c'est un steak frites avec du ketchup.
Karim

Mon menu préféré c'est le poisson avec une sauce tartare.
Thibaut

Je préfère le poulet avec des frites et de la salade verte.
Eve

Je préfère un cheeseburger et des wedges – des morceaux de pommes de terre frites.
Frédéric

Mon plat préféré c'est la pizza. Ma pizza préférée c'est une pizza à l'ananas.
Thomas

3b Qui parle? (1–5)

3c Écris un menu pour la cantine.

3 On fait les courses

Shopping for food (1)

• • • • • • • • • • • • • •

Chez le marchand de fruits et de légumes

les poires   les oranges   les bananes   les tomates   les oignons

les pommes de terre

les carottes

le chou   **les aubergines**   **les courgettes**

 1a Écoute et répète.

 1b Qu'est-ce qu'ils achètent? Écoute et note. (1–10)

2a À deux. À tour de rôle.

● Je voudrais

1kg   500g   250g   500g

● C'est tout?

● Non. Avez-vous 500g 1kg et un ?

● Et avec ça?

● C'est tout.

Le détective

Quantities:

1kg	un kilo
500g	cinq cent grammes
250	deux cent cinquante
200	deux cents
100	cent

➡ page 145, pt 21

2b Écris ta liste.

1kg pommes de terre etc.

3a Écoute et répète.

60	soixante	85	quatre-vingt-cinq
65	soixante-cinq	90	quatre-vingt-dix
70	soixante-dix	99	quatre-vingt-dix-neuf
75	soixante-quinze	100	cent
80	quatre-vingts		

3b C'est quel prix ? Écoute et note. (1–10)

A 16F65   **B** 8F95   **C** 2F75   **D** 7F80   **E** 2F85

F 5F70   **G** 4F95   **H** 1F60   **I** 16F95   **J** 9F85

3c À deux. C'est quel prix?

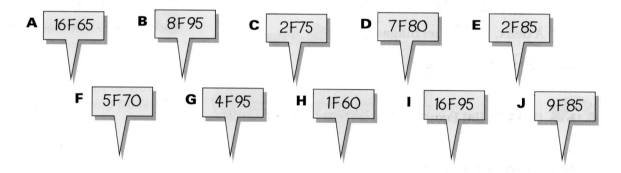

16F65? C'est **A**.

Oui, c'est vrai.

Non, c'est faux. Essaie encore!

Mini-test   **I can …**

- say what I eat and drink for breakfast
- say what I have for lunch
- ask for fruit and vegetables
- say how much I want

5 *Le snack*

Eating out

● ● ● ● ● ● ● ●

Les Boissons

Coca Orangina Limonade	€1,90
Eaux minérales	€1,50
Jus de fruits	€1,90
Café express ou décaf	€1
Vin rouge 25cl	€2,20

Les Entrées

La soupe à l'oignon	€2,70
Salade de tomates assiette	€2,20
Pâté maison	€3,30
Pâtes aux champignons et à la crème	€3,30
Petite salade verte	€2,20

Les Pâtes

Lasagnes maison	€5,30
Spaghetti bolognaise	€5,30
Tagliatelles aux champignons et à la crème	€5,80

Les Plats

Faux-filet de bœuf haché, frites	€5,30
Poulet rôti	€6,40
Steak	€7,30
Salade niçoise	€4,20
Poisson du jour	€5,30
Pizza végétarienne	€5,30

Tous nos plats sont servis avec des pommes de terre, du riz ou des frites.
Légumes au choix: haricots, épinards, carottes, salade de saison, etc.

Plateau de fromages

	€3,30

Desserts

Mousse au chocolat	€2,20
Tarte aux fraises	€3,30
Tarte au citron	€2,70
Crème caramel	€2,20
Glaces: vanille, fraise, abricot, citron, chocolat, cassis, noisette, pistache.	€2,70

ÉCOUTER

1a Que prennent-ils? Écoute et note. (1–5)

PARLER

1b Jeu de rôle.

- Bonjour. Qu'est-ce que je vous sers?
- Je voudrais

- Vous avez choisi?
- Oui, je voudrais un .
- Prenez-vous une entrée?
- Oui, je voudrais …/Non, merci.
- Prenez-vous un dessert?
- Oui, je voudrais …/Non, merci, je ne prends pas de dessert.

LIRE

1c Qu'est-ce qu'ils mangent?
Écris une liste pour chaque personne.

Je ne mange pas de soupe. Je ne bois pas de boisson gazeuse. Je ne mange pas de viande ou de poisson et j'adore le chocolat. Qu'est-ce que je prends?

Vincent

J'adore les burgers, les frites, le coca et les glaces. Qu'est-ce que je prends?

sophie

Je ne mange pas de viande. Je ne bois pas de coca ou d'eau. J'adore la soupe et la salade et les fruits. Qu'est-ce que je prends?

Hervé

Bilan

I can …
- *say what I eat and drink for breakfast*

  Je mange un croissant/un pain au chocolat/
  un fruit/du pain/du pain grillé/des céréales/
  de la confiture

- *say what I drink*

  Je bois un jus d'orange/du chocolat chaud/
  du lait/du café/du thé

- *… and say I don't eat anything*

  Je ne mange rien.

- *… and say I don't drink anything*

  Je ne bois rien.

- *ask someone what they eat and drink*

  Qu'est-ce que tu manges/bois?

- *… and report back*

  Il/Elle mange/boit …

I can …
- *name five things I sometimes eat for lunch*

  de la salade verte, du poulet, des frites,
  des petits pois, un yaourt

- *ask someone what they eat*

  Manges-tu (de la viande)?

- *… and report back*

  Il/Elle mange de la viande.
  Il/Elle ne mange pas de viande.

I can …
- *name five things I would buy from a fruit
  and vegetable shop*

  des oignons, des pommes, des bananes,
  des tomates, des carottes

- *… and say how much I would like*

  Je voudrais (500g de tomates, un kilo de pommes
  de terre etc.).

I can …
- *name five shops*

  la boulangerie, la pâtisserie, la boucherie,
  la charcuterie, le supermarché

- *… and say five things I might buy*

  une boîte (de sardines/tomates)
  un paquet (de biscuits/mouchoirs en papier)
  un tube (de purée de tomates)
  un pot (de confiture/crème/mayonnaise)
  une bouteille (d'eau minérale/de ketchup)

I can …
- *say what I would like*

  Je voudrais …

Grammaire

1 Nouns – naming words

Remember everything in French is either masculine or feminine.

The word for 'the' with masculine words is **le**, e.g. le pain.

The word for 'the' with feminine words is **la**, e.g. la confiture.

The word for 'the' with plural words is **les**, e.g. les céréales.

If the word begins with a vowel, use **l'** in the singular, e.g. l'eau.

---

le, la, les ou l'?

1 pain *(m)*	**6** frites *(pl)*
2 pommes *(pl)*	**7** salade *(f)*
3 tarte *(f)*	**8** lait *(m)*
4 glace *(f)*	**9** soupe *(f)*
5 eau *(f)*	**10** poulet *(m)*

---

2 How to say 'some'

We don't always use 'some' in English, but in French you always put 'some' in.

Je mange des céréales.   *I eat (some) cereal.*
Je bois du lait.   *I drink (some) milk.*

	Masculin	*Féminin*	*Pluriel*
the	le (l')	la (l')	les
	le pain	la confiture	les céréales
some	du (de l')	de la (de l')	des
	du pain	de la confiture	des céréales

Qu'est-ce que tu manges?   Je mange …

Et qu'est-ce qu tu bois?

Je bois

But if you say you don't eat it, **du/de la/de l'** and **des** all become **de**.
Je ne mange pas **de** pain
        de confiture
        de céréales

Et qu'est-ce que tu ne manges/bois pas?

A chips   B bonbons   C chocolat chaud   D lait

3   To say you don't do something, you put *ne* in front of the verb and *pas* after it.

Je ne mange pas.   *I don't eat.*
Je ne bois pas.   *I don't drink.*

4   How to say 'nothing' or 'not anything' : *ne ... rien*

Je ne mange rien.   *I don't eat anything.*
Je ne bois rien.   *I don't drink anything.*

How would you say:

A   **B**   **C**   **D**

5   Quantities

1kg   un kilo
$\frac{1}{2}$ kg   un demi kilo = 500g cinq cent grammes
250g deux cent cinquante grammes
200g deux cent grammes
100g cent grammes

Combien? *How much?*

Numbers up to 100

60 soixante
65 soixante-cinq
70 soixante-dix
75 soixante-quinze
80 quatre-vingts

85 quatre-vingt-cinq
90 quatre-vingt-dix
95 quatre-vingt-quinze
99 quatre-vingt-dix-neuf
100 cent

Combien? *How many?*

1 65 **2** 75 **3** 85 **4** 95 **5** 100

Contrôle révision

1 Qu'est-ce qu'ils mangent? (1–4) Nicolas Séréna Yvette Pascal

entrée

A   B   C   D

plat

E   F   G   H   I   J   K   L   M   N

dessert

O   P   Q   R   S

2 À deux. Choisis ce que tu vas manger. Interviewe ton/ta partenaire.

- Que manges-tu comme entrée?
- Je voudrais …
- Et comme plat?
- Je voudrais …
- Et avec ça?

- Je voudrais …
- Et comme dessert?
- Je voudrais …
- Que bois-tu?
- Je bois …

3 Quel est ton plat et ton dessert préféré?

Exemple: **1** *Mon plat préféré, c'est …*

4 Quel est leur plat et leur dessert préféré?

Moi, mon plat préféré c'est les spaghettis avec une sauce bolognaise avec de la salade verte et comme dessert une glace.
Hélène

Pour moi ce que j'aime, c'est un poulet frites avec du ketchup et une mousse au chocolat.
Cyrille

J'adore le poisson avec une sauce tartare et des pâtes et comme dessert une tarte aux fraises.
Thierry

Je préfère le steak haché avec des frites et un yaourt.
Elvire

Je préfère un burger avec des wedges – des morceaux de pommes de terre frites et une glace.
Françoise

Moi, c'est pizza, pizza jambon ananas et une salade verte et la mousse au chocolat.
André

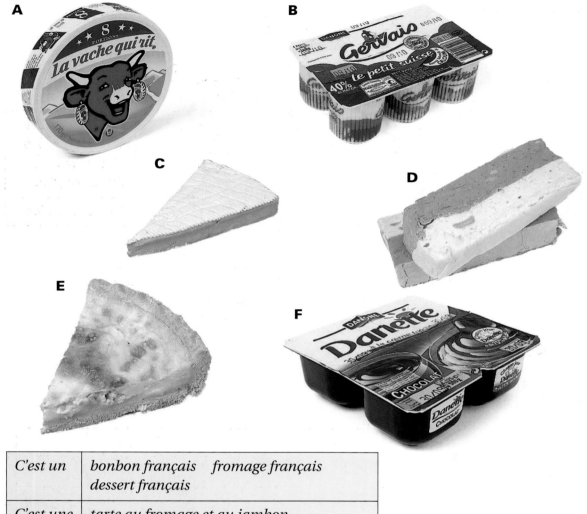

C'est un	bonbon français fromage français
	dessert français
C'est une	tarte au fromage et au jambon

 PARLER

1a Brainstorming. Qu'est-ce que c'est?

- A, c'est un fromage français.
- Oui, d'accord/Non c'est un(e) …

 ÉCOUTER

1b Écoute et vérifie. (1–6)

 ÉCOUTER

1c Qu'est-ce qu'ils aiment manger? C'est comment? (1–6)

✓✓	✓	—	✗	✗✗
délicieux	bon	o.k.	je n'aime pas	beurk

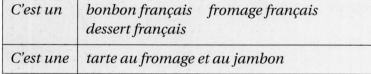

la vache qui rit   les petits suisses   le brie   le nougat
la quiche lorraine   la mousse au chocolat

2a Qu'est-ce que c'est?

A B C

D E

C'est un	bonbon anglais
	fromage anglais
	gâteau anglais
	dessert anglais
C'est une	tarte aux fraises

2b C'est comment?

C'est délicieux   C'est bon   o.k.   Je n'aime pas   beurk!

2c *Apple pie … C'est comment?*

3a Mon plat préféré. Copie et complète.

nom	son plat preféré	il/elle n'aime pas
Céline		

Mon plat préféré ce sont les lasagnes. Ce que je n'aime pas ce sont les concombres!

Céline

Mon plat préféré, c'est le curry. Ce que je n'aime pas ce sont les spaghettis.

Benoît

Mon plat préféré c'est la salade. Je préfère la salade niçoise avec des olives. Ce que je n'aime pas c'est le riz.

Lauriane

Mon plat préféré c'est le poulet-frites. Ce que je n'aime pas c'est le poisson. Je ne mange pas de poisson.

Thomas

Mon plat préféré c'est le steak et ce que je n'aime pas ce sont les escargots!

Olivier

3b Qu'est-ce que tu aimes et qu'est-ce que tu n'aimes pas?

Mon plat préféré c'est …
Ce que je n'aime pas c'est/ce sont …

4a Jouez à deux.

Exemple: **1** *Je suis allé(e) au supermarché et j'ai acheté …*

| je suis allé (e) | *I went* |
| j'ai acheté | *I bought* |

A une boîte de
sardines

B un paquet de
biscuits

C un tube de purée de
tomates

D 500g de beurre

E 250g de jambon

F un pot de yaourt

G un tube de
mayonnaise

H une boîte de
haricots

I une bouteille
d'eau minérale

J un paquet de chips

K un paquet de
mouchoirs en papier

 4b Je suis allé(e) au snack et j'ai mangé …

un steak
du poulet
du jambon
du poisson
une salade
une omelette
un faux-filet

avec
une petite salade verte
du riz
des haricots
des frites

et comme dessert
une mousse au chocolat
une tarte aux fraises
un crème caramel
une glace à la vanille

 4c Je suis allé(e) au café et j'ai bu …

de l'eau minérale/du coca/du lait/du thé/du café/un jus d'orange/une limonade

 4d Écris les listes.

Exemple: *Je suis allé(e) … et j'ai …*

Chanson

J'ai faim, j'ai soif,
J'ai mangé de la pizza,
Des pâtes aux champignons
Avec beaucoup de jambon.
Je voudrais du poulet,
C'est mon plat préféré.
Avec des petits oignons,
C'est bon, c'est super bon!

J'ai faim, j'ai soif,
J'ai bu une limonade,
Une bouteille de coca,
Et un orangina.
Ma boisson préférée,
C'est une grande tasse de thé.
Avec un peu de citron,
C'est bon, c'est super bon!

J'ai faim, j'ai soif,
J'ai mangé du fromage,
Une mousse au chocolat,
Une glace à l'ananas.
Je voudrais un sorbet,
Mon dessert préféré,
Ou une tarte au citron.
C'est bon, c'est super bon!

J'ai chaud, j'ai froid,
Aïe, Aïe, Aïe, je suis malade.
J'ai mangé trop de poulet,
J'ai bu trop de café.
Oh, là, là, ça ne va pas,
Je ne veux pas de chocolat.
Et je ne veux pas de gâteau.
Donnez-moi un verre d'eau!

1 C'est quel dessin?

1 de la pizza
2 des pâtes aux champignons
3 du poulet
4 un orangina
5 du fromage
6 un verre d'eau

A

B

C

D

E

F

2 Recopie et complète le nouveau couplet.

J'ai _____, j'ai _____
J'ai _____ de la salade.
Avec _____ de poulet.
C'est mon _____ préféré.
J'ai _____ une tasse de thé,
Ma boisson _____.
Avec un peu de citron,
C'est bon, c'est super _____!

beaucoup	bon	bu
faim	mangé	plat
préférée	soif	

Mots

Le petit déjeuner	*Breakfast*	du riz	*rice*
Je mange….	*I eat…*	Je ne mange pas de	*I don't eat any*
un croissant	*a croissant*	poisson/viande/frites.	*fish/meat/chips.*
un fruit	*a piece of fruit*		
un pain au chocolat	*a 'pain au chocolat'*	**Les légumes**	*Vegetables*
une baguette	*a French loaf*	l'ail (m)	*garlic*
du pain	*bread*	la carotte	*carrot*
du pain grillé	*toast*	le champignon	*mushroom*
de la confiture	*jam*	le chou-fleur	*cauliflower*
des céréales	*cereals*	le haricot (m)	*bean*
Je bois …	*I drink …*	l'oignon (m)	*onion*
du café	*coffee*	les petits pois	*peas*
du chocolat chaud	*hot chocolate*	la tomate	*tomato*
de l'eau	*water*		
du jus d'orange	*orange juice*	**Les desserts**	*Puddings*
du lait	*milk*	un fruit	*a piece of fruit*
du thé	*tea*	le gâteau	*gâteau/cake*
Je ne mange rien.	*I don't eat anything.*	une mousse au chocolat	*a chocolate mousse*
Je ne bois rien.	*I don't drink anything.*	la compote	*apple purée*
		de pommes	
Le déjeuner	*Lunch*	une tartelette	*a small flan*
les entrées	*starters*	un yaourt	*a yoghurt*
les carottes râpées	*grated carrot*	du fromage	*cheese*
les œufs	*eggs*		
un pamplemousse	*grapefruit*	**Les fruits**	*Fruits*
le saucisson	*salami*	l'ananas (m)	*pineapple*
une salade verte	*green salad*	la banane	*banana*
le plat	*main course*	le citron	*lemon*
la viande	*meat*	la fraise (les fraises)	*strawberry*
le bifteck	*steak*		*(strawberries)*
le poulet	*chicken*	la pêche	*peach*
un steak haché	*burger*	les raisins	*grapes*
le jambon	*ham*	la pomme	*apple*
le poisson	*fish*	la poire	*pear*
avec…	*with …*	l'orange (f)	*orange*
des frites	*chips*	la cerise (les cerises)	*cherry (cherries)*
des pâtes	*pasta*		
des pommes de terre	*potatoes*		

Combien?	*How much/ how many?*
Je voudrais …	*I would like …*
un kilo	*1kg*
cinq cent grammes	*500g*
deux cent cinquante grammes	*250g*
deux cent grammes	*200g*
cent grammes	*100g*
une boîte de …	*a tin of …*
un paquet de …	*a packet of …*
un tube de …	*a tube of …*
un pot de …	*a pot of …*
une bouteille de …	*a bottle of …*
Et avec ça?	*Anything else?*
C'est tout?	*Is that all?*
Oui, c'est tout.	*Yes, that's all.*

Les magasins	*Shops*
la boulangerie	*baker's*
la boucherie	*butcher's*
la charcuterie	*delicatessen*
la pâtisserie	*cake shop*
le supermarché	*supermarket*

Au snack	*At the fast food restaurant*
les boissons	*drinks*
un coca	*coca-cola*
une limonade	*lemonade*
l'eau minérale	*mineral water*
une glace	*ice-cream*
Bonjour.	*Hello.*
Je voudrais …	*I would like …*
Vous avez choisi?	*Have you chosen?*
Prenez-vous une entrée/un dessert?	*Are you having a starter/pudding?*
Je ne prends pas de dessert.	*I am not having pudding.*

MODULE 5
UNE SEMAINE À PARIS

1 *L'invitation*

Arranging a visit

Fichier   Edition   Affichage   Insertion   Format   Outils   Message

Répondre   Répondre à tous   Transférer

1a Lis et comprends.

Which of these words do you know?
Which can you guess?
Which don't you know?
les projets   les vacances
une semaine   mois   avec nous
les monuments et un parc
d'attractions
réponds vite

Cher Daniel

Comment ça va? Je fais les projets pour les vacances. Je vais passer une semaine à Paris avec mes parents au mois de juillet. Veux-tu venir à Paris avec nous? On va visiter les monuments et un parc d'attractions, le Parc Disneyland. Réponds vite!

À très bientôt

Agnès

1b Lis et réponds.

1 Qui écrit la lettre?
2 À qui?
3 Où va-t-elle passer les vacances?
4 Quand?

Rappel

Talking about what you are going to do in the future:
You use **aller** and the infinitive just as you do in English.

Je vais passer une semaine à Paris	*I am going to spend a week in Paris*
On va visiter les monuments	*We are going to see the sights*
On va aller au Parc Disneyland	*We are going to Eurodisney*

2a Quand vont-ils à Paris? Au téléphone… (1–6)

Romain   Jacques   Chlöe   Elvire   Thomas   Sandrine

10–17   24–31   7–14   17–24   31–7   3–10

Juillet

août

2b À deux. Vérifiez vos réponses, à tour de rôle.

Romain va à Paris du 7 au 14 août.

Oui, d'accord.

Non il/elle va à Paris du … au …

3a Lis et comprends.

Carte d'Identité de la ville

Nom: Paris
Signe: Armes de la ville de Paris, un bateau et des fleurs de lys
Titre: capitale de la France
Situation: dans le nord de la France, sur la Seine*
Nombre d'habitants: 10 millions
Signes particuliers: 33 ponts, la tour Eiffel, l'Arc de triomphe etc.

Make a list of five new words
Do they look like an English word?
Can you guess what they mean from the context?
Can you work out what they mean from a picture? (Exemple: bateau
 *)*

How many words do you need to look up?

*La Seine est le nom du fleuve qui traverse Paris.

3b Qu'est-ce que c'est?

Exemple: **A** – *C'est un bateau sur la Seine.*

A
C'est L'Arc de triomphe

B
C'est un bateau sur la Seine

C
C'est la Seine

D
C'est un pont de Paris

E
C'est la tour Eiffel

3c Fais des recherches. Écris une carte d'identité pour Londres ou une autre grande ville.
Do some research. Make an identity card for London or for another large town.

4 Copie et complète une invitation à ton/ta correspondant(e).

Chère Agnès

Comment ça va? Je vais passer une (*) à (* *) chez ma (* *). Je vais visiter (*  *) et (*  *). Je vais faire (*  *) sur la Tamise et je vais aller au (* *) pour voir la comédie musicale (* *). Veux-tu venir avec moi?*

À très bientôt

les monuments *Cats* semaine tante un tour en bateau théâtre Londres les musées

2 *On va à Paris*

Talking about how to get there

• • • • • • • • • • • • • • • • • • •

 1a C'est quel moyen de transport?

Exemple: **A** – *C'est l'avion*   **B** – *C'est …*

A 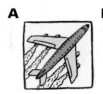 **B**   **C**   **D**   **E**   **F**   **G**

| le ferry | l'avion | le train | la voiture | le métro | le vélo | le car |

 1b C'est quel moyen?

Exemple: 1 – **F**

1c C'est quel moyen?

Exemple: **A** – *C'est le train,* **B** – *C'est …*

A    **B**    **C**   **D**

E    **F**    **G**

 2a Comment vont-ils à Paris? (1–5)

| **Mr Smith** | **John** | **Miss Harris** | **Tony** | **Mlle Leblanc** |

A en train   **B** en car   **C** à vélo   **D** en voiture   **E** en avion

LIRE 2b Qui écrit? Comment va-t-il/elle à Paris? C'est comment?

Exemple: A – Mr Smith, train, 4

A

Je vais à Paris en train. L'Eurostar va directement de la gare de Waterloo à la gare du Nord, c'est pratique.

B

Je vais à Paris en voiture parce que c'est confortable.

C

Je vais à Paris à vélo. Je prends le shuttle pour aller sous la Manche et puis je fais du vélo. C'est intéressant mais c'est fatigant.

D

Je vais à Paris en car. C'est moins cher, mais le voyage est ennuyeux en car.

E

Je vais à Paris en avion parce que c'est plus rapide.

1 rapide

2  confortable

3 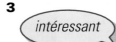 intéressant

4 pratique

5 moins cher

PARLER 2c À deux. Vérifiez vos réponses.

● (Mr Smith) va à Paris (en train). C'est (pratique).
● Oui, c'est vrai/Non, c'est faux.

… va à Paris	en train en car en avion en ferry en voiture à vélo	c'est confortable/intéressant/pratique/rapide/fatigant/ennuyeux c'est moins cher
pourquoi? *why?*		**parce que…** *because …*

ÉCRIRE 3 Où vas-tu? Comment? Pourquoi? Fais des phrases.
Je vais (à New York) (en avion) parce que c'est (rapide).

New York   Londres   en ville   à la piscine   en France

3 À Paris

Getting to know Paris

• • • • • • • • • • • • • •

A **B** **C** **D**

E **F** **G** **H**

> la cathédrale Notre-Dame   l'Arc de triomphe   la Grande Arche de la Défense
> le Sacré-Cœur   le musée du Louvre   l'avenue des Champs Élysées   la tour Eiffel
> la Cité des Sciences et de l'Industrie

PARLER

1a À deux. C'est quel monument?

Exemple: **A** – *c'est (la tour Eiffel) …*

ÉCOUTER

1b Écoute et répète. Attention à la prononciation. (A–H)

ÉCOUTER

1c Où va Daniel? (1–7)

Exemple: *lundi, C; mardi, …*

| *lundi* | *mardi* | *mercredi* | *jeudi* | *vendredi* | *samedi* | *dimanche* |

PARLER

1d À deux. Où va Daniel?

- ● Où va-t-il lundi?
- ● Lundi, il va …
- ● Et mardi?

2a C'est quel jour?

A

B

C

D

E

lundi – Ce matin nous allons faire une promenade le long des Champs Élysées et l'après-midi nous allons monter l'Arc de triomphe.

mardi – Ce matin nous allons visiter la cathédrale Notre-Dame et cet après-midi nous allons faire un tour en bateau sur la Seine.

mercredi – Ce matin on va voir la tour Eiffel et cet après-midi on va faire une promenade le long de la Seine.

jeudi – Aujourd'hui on va visiter la Cité des Sciences et de l'Industrie.

vendredi – Ce matin on va faire du shopping en ville et cet après-midi on va aller au Sacré-Cœur.

2b Tu vas à Paris. Qu'est-ce que tu vas voir?

Choisis six monuments.

lundi: Je vais aller à Paris et je vais voir ...

mardi: Je vais voir/ visiter...

je vais	voir
	visiter
	faire
	monter

Mini-test   I can …

- say when I am going to a place
- say how I am going to travel
- … and why
- name five places to visit in Paris

4 *Prenez le métro!*

Getting around in Paris

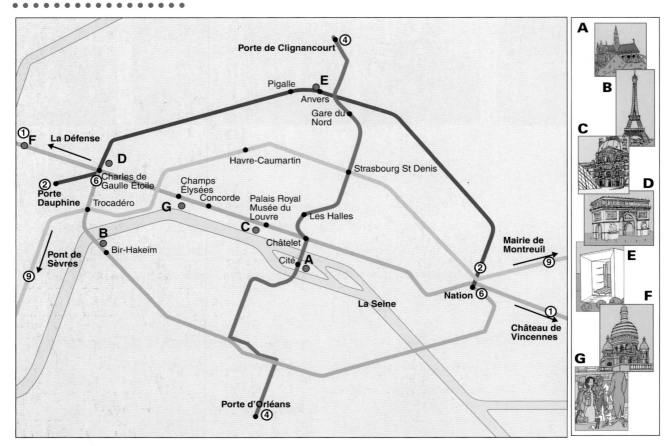

Porte de Clignancourt ④

Pigalle **E**
Anvers
Gare du Nord

La Défense ①**F**

Havre-Caumartin

D
Charles de Gaulle Étoile ⑥

Strasbourg St Denis

②**Porte Dauphine**
Champs Élysées
Concorde
G
Palais Royal Musée du Louvre
Trocadéro
Mairie de Montreuil ⑨

B
Bir-Hakeim
Pont de Sèvres ⑨
C
Châtelet
Cité **A**
Les Halles

Nation ②⑥
Château de Vincennes ①

La Seine

Porte d'Orléans ④

A
B
C
D
E
F
G

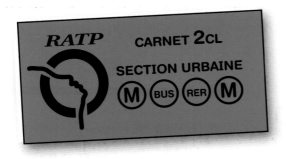

RATP
CARNET **2CL**
SECTION URBAINE
Ⓜ (BUS) (RER) Ⓜ

Votre ticket

Vous pouvez achetez un ticket au tabac ou à l'automate à la gare.

prix du ticket: €1,20
un carnet de tickets 10 tickets €9
un ticket journée: €8

1a À deux. S'orienter. Trouvez les endroits sur le plan.

- ● Qu'est-ce que c'est le **A**?
- ● C'est (la tour Eiffel) / Je ne sais pas.

1b Écoute et vérifie. (A–G)

1c Lis et remplis la grille.

1
> Vous êtes ici, à la Gare du Nord.
> Pour aller au Louvre...
> Prenez le métro ligne 4 direction Porte
>   d'Orléans
> Changez à Châtelet
> Prenez le 1 direction La Défense
> Descendez à Palais Royal.

2
> Vous êtes ici, au Palais du Louvre
> Pour aller à Notre-Dame ...
> Prenez le métro ligne 1 direction Château
>   de Vincennes
> Changez à Châtelet
> Prenez le 4 direction Porte d'Orléans
> et descendez à Cité.

3
> Vous êtes ici, à Cité
> Pour aller à la Défense
> Prenez le 4 direction Porte de Clignancourt
> Changez à Châtelet
> Prenez le 1 direction la Défense
> Descendez à la Défense

4
> Vous êtes ici à la Défense
> Pour aller à la tour Eiffel
> Prenez le métro ligne 1 direction Château
>   de Vincennes
> et descendez à Charles de Gaulle Étoile
> Prenez le 6 direction Nation et
> descendez à Bir-Hakeim.

	départ	ligne	changez à	ligne	destination
1					

1d Où vont-ils? Écoute et remplis la grille. (1–2)

	départ	ligne	changez à	ligne	destination
1					Centre Pompidou
2					Gare du Nord

2 Jeu de rôle. Les directions.

> Pardon monsieur/madame,
> je voudrais aller ...
> à la Gare du Nord/à la tour Eiffel

> Vous êtes ici
> à Charles de Gaulle Étoile/au Louvre
>
> Prenez le 1/le 1
> direction Château de Vincennes/Défense
>
> Changez à Châtelet/à Charles de Gaulle Étoile
>
> Prenez le 4/le 6
> direction Porte de Clignancourt/Nation
> et descendez à la Gare du Nord/à Bir-Hakeim

> Merci

5 Le journal de Daniel

Talking about what you have done

samedi 19 juillet

la Gare du Nord

dimanche 20 juillet

la tour Eiffel
les Champs Élysées

lundi 21 juillet

le Louvre

mardi 22 juillet

le Centre Pompidou
les Halles

mercredi 23 juillet

La cathédrale Notre-Dame
la Seine

jeudi 24 juillet

le Sacré-Cœur
Montmartre

vendredi 25 juillet

le Parc Astérix

samedi 26 juillet

l'Opéra
les grands magasins

1a **C'est quel jour?**

Exemple: **1** *– C'est dimanche*

1 Je suis allé aux Champs Élysées.
2 Je suis allé au Louvre.
3 Je suis allé à l'Opéra.
4 Je suis allé au Centre Pompidou.
5 Je suis allé au Parc Astérix.
6 Je suis allé à la cathédrale Notre-Dame.
7 Je suis allé à Montmartre.
8 Je suis arrivé à la gare du Nord à 16h30.

1b **C'est quel jour?**

1 J'ai acheté un pain au chocolat.
2 J'ai vu la Seine.
3 J'ai vu la tour Eiffel.
4 J'ai vu le Sacré-Cœur.
5 J'ai acheté des souvenirs.
6 J'ai vu Obélix.
7 J'ai acheté une glace.
8 J'ai acheté un ticket de métro.

Le détective

Daniel tells you where he has been and what he has done.
He uses the past tense:

| Je suis allé | *I went* | J'ai vu | *I saw* |
| Je suis arrivé | *I arrived* | J'ai acheté | *I bought* |

➡ **page 140, pt 4**

peintures   *paintings*

1c **C'est quel jour? Écoute et note.** (1–7)

1d **Imagine que tu es Daniel. Où es-tu allé et qu'est-ce que tu as fait/acheté/vu?**
À tour de rôle.

| *Je suis allé* | *à la tour Eiffel* | *et* | *j'ai acheté des souvenirs* |
| | | | *j'ai vu les artistes de mime* |

1e **Daniel, où es-tu allé et qu'est-ce que tu as fait?**   **je suis rentré**   *I went home*

Copie et complète les phrases.

Samedi, je (suis allé) à Paris et (j'ai acheté) un ticket de métro.
Dimanche, je _____ aux Champs Élysées et j'_____ des souvenirs.
Lundi, je _____ au Louvre et j'_____ un pain au chocolat.
Mardi, je _____ au Centre Pompidou et j'_____ une glace.
Mercredi, je _____ à Notre-Dame et j'_____ la Seine.
Jeudi, je _____ à Montmartre et j'_____ les peintures.
Vendredi je _____ au Parc Astérix et j'_____ Obélix.
Samedi, je _____ à la gare du Nord et je _____ en Angleterre.

Bilan

I can ...
- *say I am going to Paris*
- *say when I am going*
- *say when someone else is going*

Je vais à Paris
Je vais à Paris du (7 au 14 juillet)
Il/Elle va à Paris du (8 au 16 août)

I can ...
- *say how I am going to travel*

- *say how he/she is going to travel*
- *... and ask why?*
- *... and give a reason*

Je vais à Paris en car/en train/à vélo/en voiture
en avion
Il/Elle va en ...
Pourquoi?
parce que c'est rapide/confortable/intéressant/
fatigant/ennuyeux/pratique/moins cher

I can ...
- *say someone else is going*
- *name five sights which I am going to see*

Il/Elle va à Paris
Je vais voir la tour Eiffel, l'Arc de triomphe,
le musée du Louvre, la Grande Arche de la Défense,
le Sacré-Cœur, la cathédrale Notre-Dame, l'avenue
des Champs Élysées, la Cité des Sciences et de
l'Industrie

I can ...
- *say where I want to go on the métro*

- *tell someone where they are*
- *tell them to take the ... line*
- *change at ...*
- *get off at ...*

Pardon monsieur/madame, je voudrais aller ...
(à la gare du Nord; à la tour Eiffel)
Vous êtes ici
Prenez le 4, direction Porte d'Orléans
Changez à ...
Descendez à ...

I can ...
- *say where I have been*

- *... and what I have done*

Je suis allé à Paris/à la tour Eiffel/aux Champs Élysées/
au Louvre/à l'Arc de triomphe/ à la gare du Nord
J'ai acheté des souvenirs/une carte postale
J'ai vu les artistes de mime/les peintures

Grammaire

1 Talking about what you are going to do in the future

You use **aller** and the infinitive just as you do in English.

Je vais passer une semaine à Paris.	*I am going to spend a week in Paris.*
On va visiter les monuments.	*We are going to see the sights.*
On va aller à Disneyland.	*We are going to Eurodisney.*

Où vas-tu? Qu'est-ce que tu vas faire?

1 Je … aller à la piscine. Je … nager.

2 Je … aller au cinéma. Je … voir un film.

3 Je … aller à Londres. Je … visiter les monuments.

4 On … aller à Disneyland. On … faire un tour sur les manèges.

2 Talking about what you did in the past

You use the past tense. This tense is also called the 'perfect' tense.

I bought	j'ai acheté
I saw	j'ai vu
I went	je suis allé(e)

Copie et complète.

1 Je suis … en France.

2 J'ai … la tour Eiffel.

3 J'ai … des souvenirs.

4 Je … allé(e) à Londres.

5 J'… vu l'Arc de triomphe.

6 J'… acheté un CD.

3 More about the past tense

The past tense is made up of two parts.

1	2
part of the verb, **avoir** or **être** +	past participle

Most verbs 'go with' **avoir** just as in English.

1	2	1	2
J'ai	acheté	*I have*	*bought*
J'ai	vu	*I have*	*seen*
J'ai	fait	*I have*	*done*
J'ai	joué	*I have*	*played*

What did you buy?

A　B　C　D　E

What did you see?

A　B　C　D　E

What have you done?

A　B　C　D　E

4 In French some verbs 'go with' *être**. One of the most useful verbs which 'goes with' *être* is *aller*.

1	2	
Je suis	*allé(e)*	I went/I have gone

Tip: Verbs which 'go with' **être**. If the speaker is feminine, the '**allé**' adds **–e**, but it sounds the same.

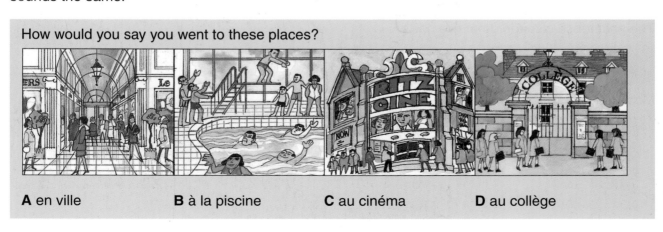

How would you say you went to these places?

A en ville　　**B** à la piscine　　**C** au cinéma　　**D** au collège

Contrôle révision

1 **Comment vont-ils à Paris? (1–5)**

Qui?	Robert Julien Constance Eloïse Jérôme
Quand?	du 10 juillet au 13/15/17/18/19 juillet
Comment?	avion/car/train/voiture

2 **À deux. Décide où tu vas aller chaque jour.**
Interviewe ton/ta partenaire.

● Où vas-tu?

lundi/mardi/mercredi/jeudi/vendredi?

● Lundi, je vais aller … Et toi? Où vas-tu lundi?
● Moi, je vais aller …

3 **Où sont-ils allés samedi?**

1 Je suis allé à l'Arc de triomphe. J'ai acheté une carte postale.
2 Je suis allé aux magasins. J'ai acheté des souvenirs.
3 Je suis allé au Centre Pompidou. J'ai vu des artistes de mime.
4 Je suis allé au Louvre. J'ai vu les peintures.
5 Je suis allé à la tour Eiffel. J'ai fait des photos.

A   **B**   **C**   **D**   **E**

4 **Copie et remplis les blancs.**

Je vais passer une … à … chez ma … .
Je vais visiter … … et … … . Je vais faire …
… en bateau sur … … et je vais aller au …
pour voir un film et je vais aux … pour
acheter des … Veux-tu venir avec moi?
À très bientôt

> le Louvre   cinéma   grands magasins
>
> souvenirs   la Seine   semaine   un tour
>
> Paris   la tour Eiffel   tante

EN PLUS *Une semaine à Londres*

A week in London

• • • • • • • • • • • •

1a Céline et Maurice vont passer une semaine à Londres.
Où vont-ils aller et qu'est-ce qu'ils vont faire?

| lundi | mardi | mercredi | jeudi | vendredi |

Ils vont aller …

1 à Madame Tussaud
2 à Harrods
3 à Hyde Park
4 à Trafalgar Square
5 à Whitehall
6 à Covent Garden
7 à Buckingham Palace
8 au cinéma

et ils vont voir/acheter/faire …

ils vont vous allez	voir	les personnages en cire/le Parlement/la colonne de Nelson/les gardes/*Cats*/un film
	acheter	un sac/des souvenirs
	faire	un pique-nique

1b À deux. Vérifie le programme.

| les personnages en cire   *waxworks* |

● (Lundi), où vont-ils ?
● Ils vont aller à (Madame Tussaud.)

● Qu'est-ce qu'ils vont faire?
● Ils vont (voir/acheter/faire …)

1c Faites leur programme.

Lundi – vous allez à Madame Tussaud et vous allez voir … etc.

1d **Après la visite. Lis et écoute. C'était quel jour?**

Ma visite à Londres

Le matin je suis allé à Buckingham Palace et j'ai vu les gardes. L'après-midi je suis allé au cinéma et j'ai vu un film de science-fiction. C'était ennuyeux.

Le matin je suis allé à Covent Garden et j'ai acheté un sac. L'après-midi je suis allé à Hyde Park et j'ai pique-niqué avec mes copains. C'était génial.

Je suis allé à Londres et j'ai fait un tour en bateau sur la Tamise. L'après-midi je suis allé à Madame Tussaud et j'ai vu les personnages en cire. C'était intéressant.

Le matin je suis allé à Trafalgar Square et j'ai vu la colonne de Nelson. L'après-midi je suis allé à Whitehall et j'ai visité le parlement. C'était fatigant.

Le matin je suis allé à Harrods et j'ai acheté des souvenirs. L'après-midi je suis allé au théâtre et j'ai vu 'Cats'. C'était super.

j'ai pique-niqué	*I picnicked*	**j'ai fait**	*I did/made*	**j'ai visité**	*I visited*

2a Qu'est-ce qu'ils ont vu?

 2b Je suis allé(e) à Paris et j'ai vu …

le Centre
Pompidou

la Grande Arche
de la Défense

le palais de Versailles

la cathédrale
Notre-Dame

et j'ai mangé …

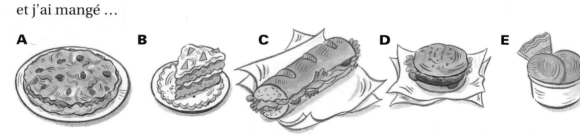

A　　　**B**　　　**C**　　　**D**　　　**E**

et j'ai bu …

A　　　**B**　　　**C**　　　**D**　　　**E**

Chanson

Nous allons à Paris.
Nous partons vendredi.
J'y vais avec mon père
Pour mon anniversaire.
On va dans un hôtel
Près de la tour Eiffel.

Refrain

Paris, la Seine,
La tour Eiffel,
Paris, les Halles
Et Notre-Dame.

Je vais me promener,
Visiter les musées,
Acheter des chaussettes
Aux Galeries Lafayette
Et faire les magasins
À dix heures du matin.

Refrain

Je vais aller au Louvre
Au Centre Pompidou,
Et voir les monuments,
L'Arche de la Défense,
Le jardin des Tuileries
Et la rue de Rivoli.

Refrain

Je vais prendre le métro,
Faire un tour en bateau,
Manger dans un café
Sur les Champs Élysées,
Dans le quartier des Halles
Ou près de Notre-Dame.

Refrain

1 Remets les dessins dans l'ordre de la chanson.

A    B   C    D

2 Recopie et complète le journal.

| bateau | hôtel | magasins | musées | Paris | père | tour | vais | mangé |

C'est mon anniversaire et je suis à _____ avec mon _____. On est dans un _____ près de la _____ Eiffel. C'est super! Aujourd'hui, on a _____ dans un café sur les Champs Élysées et on a fait un tour en _____ sur la Seine. Demain, je _____ voir les monuments et je vais visiter les _____ : le Louvre ou le Centre Pompidou. Je vais aussi faire les _____ et aller aux Galeries Lafayette.

Mots

Je vais à Paris.   *I am going to Paris.*

Pour combien
  de temps?   *For how long?*

les vacances   *holidays*

Quand?   *When?*

Je vais passer une
  semaine à Paris.   *I am going to spend a
  week in Paris.*

Il/Elle va à Paris
  du … au …   *He/she is going to
  Paris from … to …*

juillet   *July*

août   *August*

Comment y vas-tu?   *How are you going?*

J'y vais …   *I am going …*

en avion   *by plane*

en car   *by coach*

en ferry   *by ferry*

en train   *by train*

à vélo   *by bike*

en voiture   *by car*

Pourquoi?   *Why?*

parce que c'est …   *because it is …*

confortable   *comfortable*

intéressant   *interesting*

pratique   *practical*

rapide   *fast*

moins cher   *good value*

À Paris   *In Paris*

Je vais voir …   *I am going to see …*

la gare du Nord   *the main station for
  trains from the UK*

la tour Eiffel   *the Eiffel tower*

l'Arc de triomphe   *the Arc de Triomphe*

le musée du Louvre   *the Louvre museum*

la Grande Arche de
  la Défense   *the big arch at
  La Défense*

le Centre Pompidou   *Pompidou centre:
  (a library and
  cultural centre)*

le Sacré-Cœur   *the cathedral of the
  Sacred Heart*

l'avenue des Champs
  Élysées   *Champs Élysées*

la Cité des Sciences
  et de l'Industrie   *the museum of
  Science and Industry*

la Seine   *the river in Paris*

ce matin   *this morning*

cet après-midi   *this afternoon*

ce soir   *this evening*

aujourd'hui   *today*

Prenez le métro   *Take the metro*

la ligne   *line*

direction …   *in the direction of …*

changez à …   *change at …*

descendez à …   *get off at …*

un carnet de tickets   *book of 10 tickets*

Qu'est-ce que tu as fait? *What have you done?*

J'ai acheté … *I bought*

des cartes postales *postcards*

des souvenirs *souvenirs*

J'ai vu … *I saw …*

la tour Eiffel *the Eiffel tower*

les peintures *the paintings*

les artistes de mime *the mime artists*

les monuments *the sights*

Où es-tu allé(e)? *Where have you been?*

Je suis allé(e) … *I went …*

Je suis rentré(e) … *I went back/ returned …*

Des verbes utiles *Some useful verbs*

aller *to go*

je vais *I go*

je suis allé(e) *I went*

jouer *to play*

je joue *I play*

j'ai joué *I played*

faire *to do/make*

je fais *I do*

j'ai fait *I did/made*

voir *to see*

je vois *I see*

j'ai vu *I saw*

acheter *to buy*

j'achète *I buy*

j'ai acheté *I bought*

MODULE 6
VISITE EN FRANCE!

1 *Je voudrais faire ...*

Choosing what you would like to do

• •

http://www.fuaj.org/aj/dieppe

Fuaj
FÉDÉRATION UNIE DES AUBERGES DE JEUNESSE

Choisissez une activité et cliquez!

a   s'informer sur l'histoire de France

b   s'informer sur le futur et les technologies

c   aller à un centre aéré

d   visiter le pays

e   apprendre un nouveau sport

f   se perfectionner dans un sport

1a   Lis et comprends.

Which would you click if you wanted information on ...?

A   *visiting the country*

B   *attending an activity centre*

C   *learning more about the future and technology*

D   *improving your skills in a sport you already know*

E   *learning a new sport*

F   *learning more about the history of France.*

1b   Qu'est-ce qu'ils voudraient faire? (1–6)

Exemple: **1 –** b

1c   À deux. Donnez des conseils.

- Qu'est-ce que tu voudrais faire?
- Je voudrais (m'informer sur l'histoire de la France)
- Il faut cliquer sur * ...

Je voudrais	m'informer sur l'histoire de France/le futur et les technologies
	aller à un centre aéré
	visiter le pays
	apprendre un nouveau sport
	me perfectionner dans un sport

* il faut (cliquer sur...) *you have to (click on...)*

2a C'est quelle activité ?

Exemple: **1a** et **1b** [c]

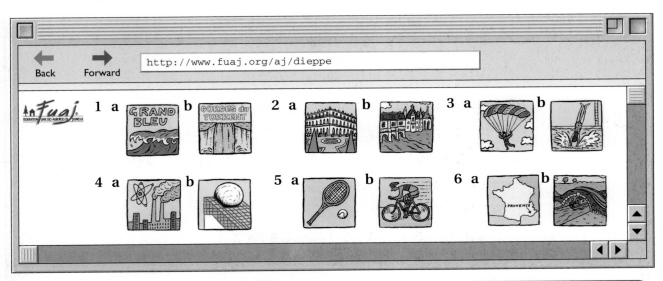

1a Passer une semaine au Grand Bleu: centre aéré à 100m de la plage	**4a** Une visite à la Cité des Sciences et de l'Industrie
1b Passer une semaine aux Gorges du Torrent, centre aéré avec canoës-kayaks, piscine, terrain de volleyball etc.	**4b** Une visite au Futuroscope, parc d'attractions avec salles de cinéma multiple – Imax 3D, Kinémax, Omnimax
2a Faire une visite du château de Versailles	**5a** Stage de perfectionnement de tennis
2b Faire un tour des châteaux de la Loire	**5b** Stage de perfectionnement de cyclisme
3a Stage* de parapente	**6a** Un tour de Provence en vélo
3b Stage de plongée	**6b** Un voyage en péniche sur le canal du Midi

* stage *course*

2b Écoute et note. Qu'est-ce qu'ils voudraient faire: *a* ou *b*? (1–6)

2c Choisis cinq activités et range-les par ordre de préférence.

Je voudrais

1 faire un tour des châteaux ...

2 ...

Le détective

How to say 'would':
je voudrais *I would like*

➡ page 142, pt 7

2 L'auberge de jeunesse

Choosing a youth hostel

● ● ● ● ● ● ● ● ● ● ● ● ● ● ● ●

http://www.fuaj.org/aj/dieppe

Fuaj
FEDERATION UNIE DES AUBERGES DE JEUNESSE

L'Auberge 🏠

L'auberge est située à 10 minutes du tunnel sous la Manche.

Installations Prestations 🏠

- ○ salle de restaurant de 50 places
- ○ bar de 30 places avec terrasse privée
- ○ TV avec magnétoscope et karaoké
- ○ Billard ○ cabines téléphoniques à carte
- ○ salle de convivialité de 40 places avec coin cuisine pour les individuels, ouvert toute la journée.

A voir & à faire 🌲

- ○ "NAUSICAA", centre européen de la mer à 1 km
- ○ Château-musée médiéval

Auberge de Jeunesse
Place Rouget de Lisle
62200 **Boulogne sur Mer**

🛏 134 places 🌲🌲🌲🌲

☕ Compris

🍴 **Midi:** Réservation
Soir: Réservation

📺 Réservation

♿ 2 ch. individuel ascenseur

👪 Accueil des familles

🍳 Oui

▢ Compris

🅿 Parking

🧺 À proximité

1a Lis et réponds.

You are thinking of taking a class trip to France. It is your responsibility to find a youth hostel for the first night. You have downloaded this information from a website. What can you tell the others about this youth hostel?

1 In which town is the youth hostel?
2 How far is it from the Channel tunnel?
3 How many beds does it have?
4 Can you get drinks there?
5 Can you get lunch?
6 Can you get an evening meal?
7 Do they supply packed lunches?
8 How many rooms are there for disabled people?
9 Do they have family rooms?
10 Can you do your own cooking there?
11 Do they supply the bed linen?
12 Can you park your school coach at the youth hostel?
13 Where can you do your washing?
14 What other facilities are available?

Youth hostels are rated by the number of *sapins* (fir trees) they have.
A youth hostel with 3 or 4 *sapins* has private washing facilities for each bedroom.

1b Une autre auberge. Écoute et note.

combien de sapins?

combien de lits?

les boissons?

le déjeuner?

le soir?

le pique-nique?

les chambres pour les handicapés?

les chambres pour les familles?

une cuisine?

location de linge?

parking?

laverie?

autre chose?

location de linge   *linen hire*
laverie   *laundry*

1c À deux. Comparez les deux auberges.

auberge 1	*auberge 2*
Il y a … sapins	
Il y a … lits	
Il y a …/Il n'y a pas de …	

1d Choisis une auberge et justifie ton choix.

Je préfère l'auberge (1/2)
… parce que c'est près du tunnel
… parce qu'il y a plus de sapins
… parce qu'il y a une salle de …
… parce qu'il n'y a pas de ….

2 Dessine une page Internet pour ton auberge idéale.

3 *Faire une réservation*

Making a booking at a youth hostel

 1a Où vont-ils? Pour combien de temps? (1–2)

Où	dates	nombre de filles/garçons/professeurs	P	⏱

 1b À deux. Jeu de rôle. Au téléphone.

● Bonjour monsieur/madame.

● Bonjour je voudrais réserver des places pour ma classe. Avez-vous des places libres (du 13 au 20 août)?

● Vous êtes combien?

● Nous sommes … filles, … garçons et … professeurs.

● Vous arrivez comment?

● Nous arrivons en (train/car/…).

● Vous arrivez à quelle heure?

●

● Bon, du …. au…. pour … filles et … garçons et … professeurs. Votre adresse?

● …

● Merci, au revoir.

● Au revoir.

ÉCRIRE

2 Écris une lettre.

Vous voulez réserver des places pour

 du | mai |
                              | 15 – 21 | .

> Birmingham, le 26 mai
>
> Madame, Monsieur
>
> Nous voudrions réserver (vingt-cinq places pour dix filles, douze garçons et trois professeurs) dans votre auberge de jeunesse (du 17 au 21 juillet).
>
> En vous remerciant, nous vous prions d'agréer, Madame, Monsieur l'expression de nos salutations distinguées.
>
> Jane Slade

LIRE

3 Formulaire de réservation. Lis et trouve la réponse qui correspond.

Exemple: **1** – *C*

1 nom du groupe	A Mr Brown
2 nom du responsable	B 15 boys
3 adresse	C Newton High School
4 tel.	D Mr Brown, Mr Smith
5 garçons	E West Lane, Newtown
6 filles	F Mrs McDonald, Miss Jones
7 accompagnateurs	G 0044 01 234 567 89
8 accompagnatrices	H 17 girls

Mini-test   **I can ...**
- say what I would like to do on holiday
- list the facilities at a youth hostel
- ask about and book accommodation

4 Les stages

Choosing an activity holiday

l' équitation   l' escalade   le kayak   la natation   le parapente   la pêche

la planche à voile   le rafting   la randonnée   le tennis   le volleyball   le VTT

1a **Lis et fais correspondre les activités et les symboles.**

> *Exemple:* **A** – *C'est l'escalade*

1b **Écoute et vérifie. (A–L)**

1c **À deux. Interviewe ton/ta partenaire. Qu'est-ce que tu aimes faire?**

- Aimes-tu faire de l'escalade?
  > ✓   ✗   ?
- Oui…/non…/Je ne sais pas.

Aimes-tu	faire	du kayak/parapente/rafting/VTT de la natation/planche à voile/randonnée de l'escalade/de l'équitation?
	jouer	au tennis/au volley?
	aller	à la pêche?

1d **Écris un résumé.**

> J'aime faire/jouer…
> Je n'aime pas faire/jouer…
> Il/Elle aime faire/jouer …
> Il/Elle n'aime pas faire/jouer …

2a Pour les sportifs. Lis et trouve les symboles qui correspondent.

Stage en montagne

mur d'escalade

randonnées

parapente

VTT

tennis

A **B** **C** **D** **E**

Stage au bord de la mer

planche à voile

équitation

volley

tennis

balades en vélo

A **B** **C** **D** **E**

Stage à la campagne

volleyball

tennis

centre d'équitation

location de vélos

grande piscine

A **B** **C** **D** **E**

Stage au bord du lac

planche à voile

kayak

rafting

VTT

pêche

A **B** **C** **D** **E**

2b Ils choisissent quel stage? (1–4)

Benjamin   Sandrine   Marjolaine   Patrice

2c Choisis un stage.
Je préfère aller (au bord du lac) parce qu'on peut faire/jouer …

3 Écris une brochure pour un stage idéal.

5 Un stage au bord du lac

Talking about an activity holiday

Mon journal intime

Je suis à Annecy avec mon copain, Benjamin. Nous faisons un stage de sport à l'auberge de jeunesse.

Samedi, j'arrive à l'auberge de jeunesse à 16h00. Il y a vingt personnes, douze garçons et huit filles. Le soir, après le dîner, je vais à la pêche.

Dimanche matin je vais au lac pour faire un test de natation. L'après-midi c'est la première leçon de planche. Au début je tombe à l'eau. C'est fatigant. Le soir, je joue aux cartes et aux jeux de société avec les autres.

Lundi, nous allons au lac pour faire de la planche et je fais des progrès. À midi, nous faisons un pique-nique au bord du lac. Le soir nous faisons un barbecue au bord du lac et nous chantons et racontons des histoires de fantômes.

Mardi nous allons dans la forêt. Nous faisons une balade en vélo. Nous pique-niquons au bord d'une rivière. L'après-midi nous nageons dans la rivière. L'eau est froide! Le soir nous regardons une vidéo.

Mercredi, nous faisons un tour commenté de la ville. Après le tour nous restons en ville et nous mangeons au snack et achetons des souvenirs. Le soir nous avons un barbecue au bord du lac.

Jeudi, nous allons à une grande rivière et nous faisons la descente de la rivière en canoë. L'après-midi nous allons à la pêche et le soir nous jouons au ping-pong.

Vendredi, nous allons à la campagne pour faire du cheval. Benjamin tombe du cheval. Il n'aime pas l'équitation! L'après-midi nous jouons au tennis et le soir nous allons en ville pour acheter une glace.

Samedi, hélas, nous rentrons à la maison! C'était super et j'ai beaucoup de nouveaux amis!

Christophe

1a Lis. Copie et remplis son agenda.

 A
 B
 C
 D
 E
 F
 G

 H
 I
 J
 K
 L
 M
 N

	matin	*après-midi*	*soir*
samedi	—	—	**E**, la pêche
dimanche			
lundi			
mardi			
mercredi		—	

1b C'est quel jour? Écoute et note (1–8)

1c À deux. C'est quel jour? Prépare cinq phrases.

Il …	fait du canoë/de la planche/de la pêche
	joue aux cartes
	fait un pique-nique au bord du lac
	chante

2 Tu fais un stage avec ton copain/ ta copine.

Écris ton journal intime.

> Je fais un stage au bord de la mer
> Je joue …
> Je fais …
> Je nage …
> J'achète…

Bilan

I can …
- *say what I would like to do*
- *ask someone what they would like to do*

Je voudrais m'informer sur l'histoire/visiter le pays
Qu'est-ce que tu voudrais faire?

I can …
- *name five facilities a youth hostel has*

Il y a une cuisine/55 lits/une salle de jeux/ le déjeuner/le pique-nique/un barbecue/une laverie/ une cabine téléphonique

- *… and one it doesn't have*
- *… and say which I prefer*
- *… and why*

Il n'y a pas de (parking)
Je préfère l'auberge …
parce qu'il y a une salle de …

I can …
- *make a reservation*

Je voudrais réserver (18) places pour (6 filles, 9 garçons et 3 professeurs) du 7 au 14 (juillet)

- *and ask if rooms are available*
- *say what time we are arriving*

Avez-vous des places libres?
Nous arrivons à 16h30/17h45/18h00/18h15

I can …
- *name five activities*

l'équitation, le kayak, le parapente, la pêche, la planche à voile

- *say what I like doing*
- *… and why*

J'aime faire du kayak/jouer au volley
Je préfère aller (au bord du lac), parce qu'on peut faire/jouer …

- *ask someone if they like doing certain activities*
- *… and report back*

Aimes-tu faire de l'escalade?
Aimes-tu jouer au tennis?
Il/Elle aime faire …
Il/Elle aime jouer …

I can …
- *talk about an activity holiday*

Je fais un stage au bord de la mer.
Je joue aux cartes.
Je vais à la pêche.
Je nage dans la rivière.
J'achète des souvenirs.

Grammaire

1   How to say 'would' like

I would like	je voudrais
you would like	tu voudrais
he/she would like	il/elle voudrait

This is part of the verb ' to want to' – vouloir.

> Copie et complète.
>
> 1 Je … aller en ville.
>
> 2 Mon frère … jouer au football.
>
> 3 Ma sœur … aller au cinéma. Et toi?
>
> 4 Qu'est-ce que tu … faire?

2   How to say what you like doing:

what you like doing	J'aime faire de l'équitation.
what you like playing	J'aime jouer au tennis.
and what you don't like doing	Je n'aime pas faire de sport.
and what you don't like playing	Je n'aime pas jouer au football.

What do you like doing and what don't you like doing?

 A   B   C   D   E   F   G

3 How to say what someone has to do: il faut

you have (to click on …) il faut (cliquer sur ….)
you have (to go to town) il faut (aller en ville)

What do you have to do?

Il faut …

A

B

C

D

E

F

G

| aller en ville | faire les devoirs | cliquer sur sortie | acheter du pain |

| voir un film | manger des fruits | boire de l'eau |

4 Make pairs out of the following phrases, saying where you have been and what you have done

Exemple: Je suis allé(e) en ville et j'ai fait du shopping.

1 Je suis allé(e) au cinéma   et j'ai joué au basket.

2 Je suis allé(e) à la campagne   et j'ai fait de l'équitation.

3 Je suis allé(e) au lac   et j'ai fait du roller.

4 Je suis allé(e) à la rivière   et je suis allé(e) à la pêche.

5 Je suis allé(e) au Quick   et j'ai acheté un pull.

6 Je suis allé(e) au bar   et j'ai vu un film.

7 Je suis allé (e) aux magasins   et j'ai fait de la planche.

8 Je suis allé(e) au terrain de sports   et j'ai mangé un burger.

9 Je suis allé(e) au parc   et j'ai bu un coca.

Contrôle révision

1 Copie et remplis la grille.

nom du groupe	garçons	filles	professeurs

2 Jeu de rôle. Au téléphone.

- Bonjour monsieur/madame.
- Bonjour. Je voudrais réserver des places pour ma classe.
- Quand?
- (Du 13 au 20 août)/(Du 15 au 22 juillet).
- Vous êtes combien?
- (8/7) filles, (9/10) garçons et (4) professeurs.
- Vous arrivez comment?
- En (train/car).
- Vous arrivez à quelle heure?
- À
- …
- Merci, au revoir.
- Au revoir.

3 Lis la lettre et prends des notes.

Madame, Monsieur

Nous voudrions réserver (vingt-cinq places pour dix filles, douze garçons et trois professeurs) dans votre auberge de jeunesse (du 17 au 21 juillet).

En vous remerciant, nous vous prions d'agréer, Madame, Monsieur l'expression de nos salutations distinguées.

Katy

 **1** ?x **2** ?x

 3 ?x **4** ?x

4 Écris une lettre à une auberge de jeunesse.

 15X   9X   4X

juillet

3-10

EN PLUS *Maintenant je sais ...*

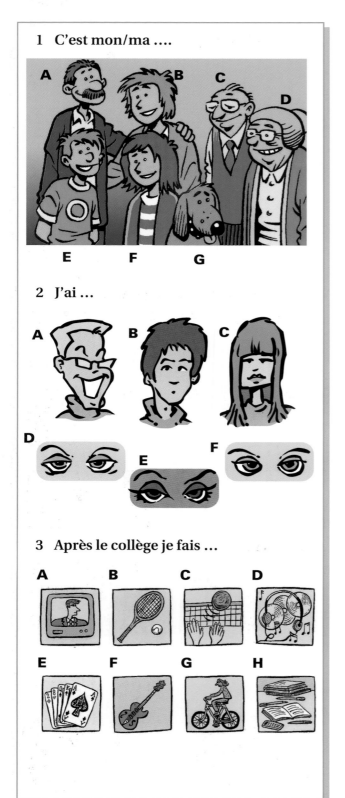

1 C'est mon/ma ....

2 J'ai ...

3 Après le collège je fais ...

4 Samedi, je vais ...

5 Le matin ...

6 Le soir je me couche à ...

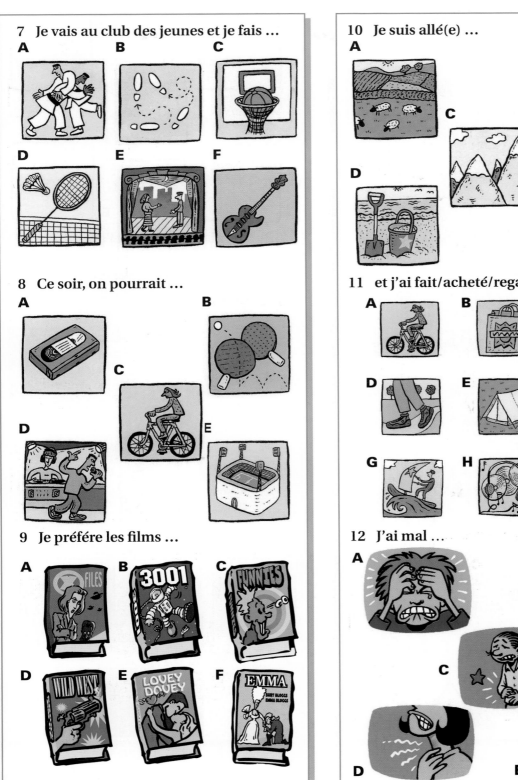

7 Je vais au club des jeunes et je fais …

A B C

D E F

8 Ce soir, on pourrait …

A B

C

D E

9 Je préfére les films …

A B C

D E F

10 Je suis allé(e) …

A B

C

D E

11 et j'ai fait/acheté/regardé …

A B C

D E F

G H I

12 J'ai mal …

A B

C

D E

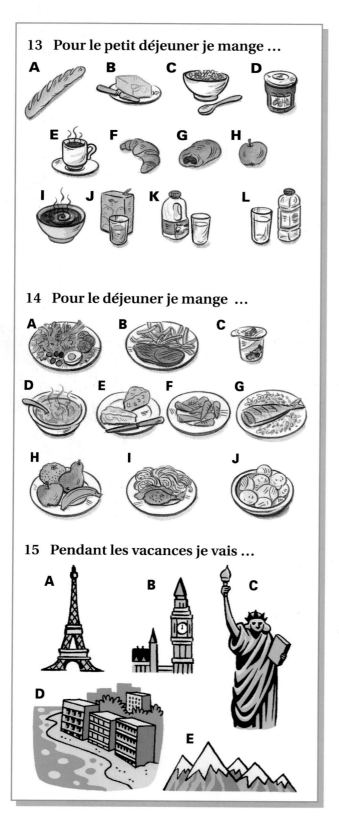

13 Pour le petit déjeuner je mange …

14 Pour le déjeuner je mange …

15 Pendant les vacances je vais …

16 Je vais à Paris en …

17 Je suis allé(e) à Paris et j'ai vu …

Chanson

J'ai passé de super vacances
Dans le sud-est de la France.
Je suis allée à la montagne
Pour faire un stage d'escalade.
À l'auberge de jeunesse
J'ai rencontré Raphaël.

Refrain

À la campagne
Ou la montagne
À la mer ou en ville,
Avec un bon copain
Ou une bonne copine.
Les vacances, moi j'aime bien.

Après le petit déjeuner
On a beaucoup discuté,
Écouté de la musique,
Et préparé un pique-nique.
On a loué des VTT
Et fait de belles randonnées.

Refrain

Je pense aux prochaines vacances.
Je ne veux pas rester en France.
Je veux aller voir Raphaël.
Il habite près de Bruxelles.
On pourrait faire des balades
En péniche ou à cheval.

Refrain

1 Vrai ou faux?

1 Raphaël habite dans le sud-est de la France.
2 Il a passé ses vacances près de Bruxelles.
3 Il a fait un stage d'escalade.
4 À l'auberge de jeunesse, il a écouté de la musique.
5 Il a loué un VTT pour faire des randonnées.
6 Il a aussi fait des balades à cheval.

2 Recopie et complète le nouveau couplet.

cheval	fait	France	habite	passé	Raphaël

J'ai _____ de super vacances.
Je ne suis pas restée en _____.
Je suis allée voir _____.
Il _____ près de Bruxelles.
On a _____ de belles balades
En péniche et à _____.

Mots

Qu'est-ce que tu voudrais faire?	***What would you like to do?***
Je voudrais …	*I would like …*
m'informer sur …	*to be informed about …*
aller à un centre aéré	*to go to an outdoor centre*
visiter le pays	*to visit the country*
apprendre un nouveau sport	*to learn a new sport*
me perfectionner dans un sport	*to improve my sports skills*
passer une semaine à …	*spend a week at …*
faire une visite/un tour …	*visit …*
un château	*castle*

À l'auberge de jeunesse	***At the youth hostel***
Il y a …	*There is/are …*
Il n'y a pas de …	*There isn't/aren't any …*
un lit	*bed*
des places	*places*
un parking	*car park*
une chambre	*bedroom*
les chambres pour les handicapés	*rooms for disabled people*
les chambres pour les familles	*family rooms*
une cuisine	*a kitchen*
une laverie	*laundry*
le linge	*linen*
une cabine téléphonique	*telephone box*
une salle de jeux	*games room*
le sapin	*fir tree*
le petit déjeuner	*breakfast*
le déjeuner	*dinner*

Nous voudrions réserver … places	*We would like to reserve … places*
Nous sommes …	*We are …*
… filles	*… girls*
… garçons	*… boys*
… professeurs	*… teachers*

Les activités	***Activities***
le canoë	*canoeing*
l' équitation	*horse riding*
l' escalade	*climbing*
le kayak	*kayaking*
la natation	*swimming*
le parapente	*para-gliding*
la pêche	*fishing*
le ping-pong	*table tennis*
la planche à voile	*windsurfing*
le rafting	*rafting*
la randonnée	*hiking*
le tennis	*tennis*
le volley(ball)	*volleyball*
le VTT	*mountain biking*
un stage	*a course*
J'aime faire du/de la	*I like doing …*
J'aime jouer au …	*I like playing …*
Je n'aime pas faire/ jouer…	*I don't like doing/playing …*
Aimes-tu faire…?	*Do you like doing …?*
Aimes-tu jouer au …?	*Do you like playing at …?*
Il/Elle aime faire/ jouer …	*He/she likes doing/playing …*
J'aime faire …	*I like …*
du canoë	*going canoeing*
de l'équitation	*going horse-riding*
de la planche	*going surfing*

une balade à vélo	*going cycling*
un barbecue	*having a barbecue*
un pique-nique	*having a picnic*
un stage	*going on an activity holiday*
J'aime …	*I like …*
acheter des souvenirs	*buying souvenirs*
aller à la pêche	*going fishing*
chanter	*singing*
jouer aux cartes/ au ping-pong/tennis	*playing cards/table tennis/tennis*
nager dans la rivière	*swimming in the river*

À toi! A

Je m'appelle Nicolas. J'ai douze ans. J'habite à Rouen, en France, je suis français.

Je m'appelle Cécile. J'ai treize ans. J'habite à Paris, en France, et je suis française.

Je m'appelle Quentin. J'ai quatorze ans. J'habite à Québec au Canada. Je suis canadien.

Je m'appelle Lucille. J'ai dix ans. J'habite à Lausanne, en Suisse. Je suis suisse.

Je m'appelle Roman. J'ai onze ans. J'habite à Marseille, en France, mais je suis antillais.

1 **Copie et complète la grille.**

	nom	âge	habite à …	en/au …	nationalité
1					
2					
3					
4					
5					

2 **Copie et complète le texte pour toi.**

Je m'appelle …   J'ai …   ans.   J'habite à …,en/au …   Je suis …

Rappel:

J'habite	à Manchester
	en Angleterre/en Écosse/en Irlande
	au pays de Galles
Je suis	anglais(e)/écossais(e)/gallois(e)/irlandais(e)

1a Que font-ils? Copie et complète la grille.

A B C D E F G H

Après le collège je joue au tennis avec mes copains, je joue de la guitare et j'écoute de la musique mais je n'aime pas faire mes devoirs.
Antoine

Après le collège je fais mes devoirs, je regarde la télé et je joue aux cartes avec mon frère. Je n'aime pas faire du vélo.
Ariane

Après le collège je fais une balade à vélo avec mes copains et puis je fais mes devoirs et j'écoute de la musique. Je n'aime pas jouer au volleyball.
Fanny

Après le collège je joue au volleyball avec mes copains, je fais mes devoirs et j'écoute de la musique mais je ne fais pas de football.
Lucas

Antoine	Ariane	Fanny	Lucas

 1b Lis et trouve.

Qui aime …?

1 jouer au volleyball 3 jouer au tennis
2 jouer aux cartes 4 faire du vélo

Qui n'aime pas …?

5 jouer au football 7 faire ses devoirs
6 faire du vélo 8 jouer au volleyball

 1c Trouve un correspondant(e).

J'aime le volley, la musique et les vidéos.

Mathieu

J'adore la musique, j'aime le tennis mais je n'aime pas le collège.

Noémie

J'adore regarder la télé et jouer aux cartes.

Sophie

J'aime le vélo, la musique et le français.

Cathy

 2 Et toi?

Que font Lila et Christian le soir après le collège et qu'est-ce qu'ils n'aiment pas faire?

Lila 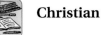 **X**   **Christian**   **X**

À toi! A

Samedi matin, je me réveille à six heures trente.	À seize heures trente je vais en ville
À sept heures quinze je mange mon petit déjeuner.	Je sors à sept heures trente.
À quatorze heures je joue au tennis avec ma copine.	Je me lève à sept heures.
À dix-sept heures je vais au cinéma.	Je me couche à vingt et une heures.

 1 Copie et mets l'heure dans les cases.

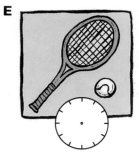

2 Et toi. Que fais-tu?

| 9h00 | 9h30 | 14h30 | 18h30 | 22h00 |

1 **Veux-tu venir? Trouve la bonne réponse.**

1 Je vais aller au cinéma. Veux-tu venir avec moi?

2 C'est un concert, tu veux venir?

3 Je vais aller au club des jeunes. Tu veux venir?

4 Nous allons au Quick. Tu veux venir avec nous?

5 On va à la piscine ce soir. Aimes-tu nager?

6 On va jouer au basket ce soir. Veux-tu venir?

7 Je vais faire du shopping en ville. Veux-tu venir avec moi?

8 On va jouer aux cartes ce soir. Veux-tu jouer avec nous?

a Ah non, je suis trop fatigué et je préfère le football.

b Ah non, je n'ai pas d'argent et je n'aime pas les burgers.

c Oui, je veux bien. C'est quel film?

d Oui, je veux bien. On pourrait jouer au ping-pong.

e Ah non, je préfère la musique rap.

f Ah non, je n'ai pas mon maillot de bain.

g Ah oui, j'adore jouer aux cartes.

h Ah non, je n'ai pas d'argent.

2 **Écris tes réponses pour les mêmes questions!**

Ah oui, je veux bien.	
J'aime	aller au cinéma/à la piscine/en ville etc. jouer au ping-pong/aux cartes etc.
J'adore faire du shopping etc.	

Non, merci, je ne veux pas …

je n'aime pas aller au cinéma/à la piscine/en ville etc.

je déteste jouer au ping-pong

je suis trop fatigué(e)

je préfère jouer aux cartes

je n'ai pas d'argent

je n'ai pas le temps

j'ai trop de devoirs

MODULE **3** FAMILLE ET COPAINS

À toi! A

LIRE

1 Qui parle?

J'ai mal à la tête.
Sandrine

J'ai mal aux dents.
Laurent

J'ai mal au pied.
Thomas

J'ai mal à la gorge.
Coralie

J'ai mal aux oreilles.
Hanane

J'ai mal au ventre.
Sylvie

Je tousse.
Benjamin

ÉCRIRE

2 Copie et complète le texte: Le tarjanosaure.

Il a une grande … bleue. Ses … sont rouges et ses … sont vertes.
Il a quatre … jaunes, son … est gris et il a une … noire.

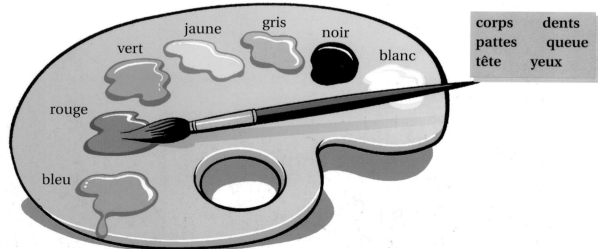

jaune gris noir
vert   blanc
rouge
bleu

corps	dents
pattes	queue
tête	yeux

À toi! B

1a Comment s'appellent-t-ils? Quel âge ont-ils?

1 Mon frère s'appelle Roman.
2 Ma grand-mère s'appelle Marie-Thérèse.
3 Mon père s'appelle Mathieu.
4 Mon chien s'appelle Boy.
5 Ma mère s'appelle Sophie.
6 Mon grand-père s'appelle Bernard.
7 Je m'appelle Isabelle.
8 Ma sœur s'appelle Cécile.

a Elle a cinquante-neuf ans.
b Elle a seize ans.
c J'ai douze ans.
d Il a soixante ans.
e Il a trente-sept ans.
f Il a huit ans.
g Elle a trente-cinq ans.
h Il a deux ans.

1b Écris un résumé: la famille de Isabelle.

Rappel

	Masc.	Fem.	Plural
my	mon	ma	mes
your	ton	ta	tes
his/her	son	sa	ses

Roman est son frère. Il a … ans.
Sophie est sa … Elle a … ans.

2 Et ta famille? Invente une famille. Comment s'appellent-ils? Quel âge ont-ils?
Mon père s'appelle (Dagobert). Il a …ans etc.

À toi! A

1a C'est le petit déjeuner de qui?

A **B** **C**  **D**

E  **F**  **G**  **H**

1 Je mange un yaourt et je bois de l'eau. **Olivier**
2 Je mange un fruit et je bois du lait. **Luc**
3 Je mange un croissant et je bois du lait. **Sanya**
4 Je mange un croissant et je bois du jus d'orange. **Cécile**
5 Je mange du pain et je bois du café. **Claude**
6 Je mange des céréales et je bois du lait. **Camille**
7 Je mange du pain et je bois du chocolat chaud. **Sandra**
8 Je mange des céréales et je bois du jus d'orange. **Jules**

1b Le petit déjeuner de Corinne. Qu'est-ce qu'elle mange et qu'est-ce qu'elle boit?

turfi   **tail**   **tasnroics**

tayrou   **toccolha**

2 Qu'est-ce que tu manges et bois?

MODULE
4
À TABLE!

À toi! B

LIRE
1 On fait les courses. Trouve la liste qui correspond.

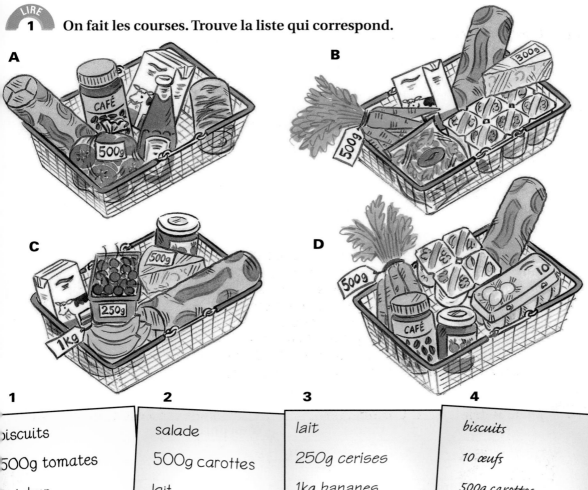

A

B

C

D

1	2	3	4
biscuits	salade	lait	biscuits
500g tomates	500g carottes	250g cerises	10 œufs
ketchup	lait	1kg bananes	500g carottes
café	300g fromage	500g fromage	café
lait	biscuits	un pot de confiture	boîte tomates
boîte haricots	6 pots de yaourt	biscuits	4 yaourts

ÉCRIRE

2 Écris la liste pour Sébastien.

Rappel
une boîte de
une bouteille de
un paquet de
un pot de
un tube de

MODULE 5 — UNE SEMAINE À PARIS

À toi! A

1 Copie et complète la grille.

Je vais aller à Paris du 10 au 15 juillet. Nous allons à Paris en train.
Daniel

Je vais aller à Paris pour trois jours du 17 au 20 juin. Je vais à Paris en avion.
Mark

Je vais aller à Paris avec ma famille. Nous allons à Paris en voiture. On y va du 2 au 10 août.
Stéphanie

Je vais aller à Paris avec ma classe. Nous allons à Paris en car. On part le 15 et on rentre le 20 juin.
Michaël

Je vais aller à Paris pour voir mon correspondant. Je prends le Shuttle à Waterloo à Londres et j'arrive à la gare du Nord à Paris. Je vais à Paris du 15 au 20 juillet.
Marion

Nous allons visiter le Parc Disneyland à Paris. Nous allons à Paris en car. On part le 4 et on rentre le 8 août.
Richard

nom	dates	transport

2 Comment vont-ils à Paris?

Exemple: Eloïse va aller à Paris en train.

Eloïse

Mohammed

Karim

Yvonne

Et toi? Comment vas-tu à Paris?

MODULE 5 UNE SEMAINE À PARIS

À toi! B

LIRE 1

Où est-il allé? Qu'est-ce qu'il a fait?

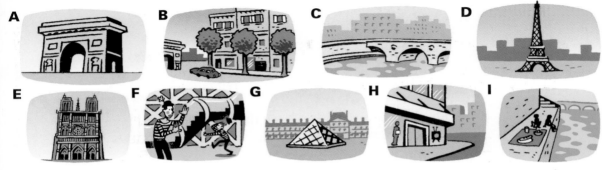

A B C D

E F G H I

	où?	fait?	c'était comment?
lundi			
mardi			
mercredi			
jeudi			
vendredi			

lundi
Je suis allé le long des Champs Élysées et j'ai vu l'Arc de triomphe. J'ai fait beaucoup de photos. C'était fatigant.

mardi
Je suis allé à la tour Eiffel et j'ai fait une promenade le long de la Seine. C'était génial.

mercredi
Je suis allé au Centre Pompidou et puis j'ai vu les artistes de mime. C'était un peu ennuyeux.

jeudi
Je suis allé à la cathédrale Notre-Dame et puis j'ai fait un pique-nique au bord de la rivière. C'était super.

vendredi
Je suis allé au Louvre et puis j'ai fait du shopping. J'ai acheté des souvenirs. C'était pas mal.

ÉCRIRE 2

Où es-tu allé(e) et qu'est-ce que tu as fait?

lundi	
mardi	
mercredi	
jeudi	
vendredi	

Je suis allé(e) au/à la/à l' ...

et j'ai   vu les peintures/les artistes de mime/l'Arc de triomphe

et j'ai   acheté des souvenirs/une glace

et j'ai   fait un pique-nique/ une promenade/des photos

MODULE 6 VISITE EN FRANCE!

À toi! A

1 Qu'est-ce qu'ils ont choisi? C'était comment?

Exemple: 1, c, :)

1 Je suis allé au centre Sables Blancs. J'ai fait de la natation. C'était super.
2 Je suis allé à Fontainebleu. Il y a un grand château. C'était vraiment intéressant.
3 Je suis allé dans la montagne et j'ai fait du parapente. C'était vraiment cool.
4 Je suis allé au Futuroscope avec mes parents. On a vu trois films sur le futur. C'était ennuyeux.
5 Je suis allé à un centre de sport. J'ai fait de la planche à voile. C'était pas mal.
6 Je suis allée en Provence avec mes parents. Nous avons fait un tour en vélo. C'était fatigant.

a s'informer sur l'histoire de France
b s'informer sur le futur et les technologies
c aller à un centre aéré
d visiter le pays
e apprendre un nouveau sport
f se perfectionner dans un sport

2 Où es-tu allé(e) et qu'est-ce que tu as fait? C'était comment?

Je suis allé(e) à un centre aéré et …

… j'ai fait …   C'était …

A   **B**   **C**   **D**

MODULE 6 — À toi! B

Hautes alpes activités
- l' escalade
- le parapente
- la randonnée

La belle mer
- la natation
- la planche à voile
- le tennis

Les prés
- l' équitation
- la pêche
- le volleyball

Grand lac
- le kayak
- le rafting
- le VTT

1 Lis et trouve la bonne description pour chaque auberge.

1. L'auberge est située au bord de la mer à deux minutes de la plage. Il y a une piscine et un grand terrain de sport avec six courts de tennis. Ici on peut faire un stage de planche à voile.

2. L'auberge se trouve sur l'alpage à 1600m. On peut faire des randonnées, de l'escalade ou des stages de parapente.

3. L'auberge est située au bord du lac. Stages de perfectionnement: planche à voile, tennis, volleyball, basketball ou cyclisme.

4. L'auberge se trouve à cinq minutes du lac. On peut faire un stage de kayak ou de rafting ou simplement des balades en vélo ou du VTT.

5. Située en pleine campagne, notre auberge est idéale pour faire un stage d'équitation ou simplement aller à la pêche ou jouer sur notre terrain de sport.

2 Fais une brochure: L'auberge de jeunesse 'Le grand parc'.

Grammaire

1 Verbs (1): the present tense

1.1 Regular –er verbs

Verbs are action words. They describe what someone or something does:

I go

you eat

the boy plays

être *to be*	avoir *to have*	When you look a verb up in the dictionary it is given in the infinitive:
faire *to do*	habiter *to live*	
manger *to eat*	jouer *to play*	

When you talk about yourself	(I)	use the **je** form of the verb.
When you talk to a friend	(you)	use the **tu** form of the verb.
When you talk about someone else	(he/she)	use the **il/elle** form of the verb.
When you talk about us	(we)	use the **nous** form of the verb.
If you are talking to an older person or a group of people	(you)	use the **vous** form of the verb.
If you are talking about a group of people	(they)	use the **ils/elles** form of the verb.

Most verbs are regular. This means they follow the same pattern.

jouer *to play*

Singulier	Pluriel
je joue *I play*	nous jouons *we play*
tu joues *you play*	vous jouez *you play*
il/elle joue *he/she plays*	ils/elles jouent *they play*

 Although the spelling changes, the **je/tu/il/elle** and **ils/elles** form of the verb all sound the same!

Most verbs which end in **–er** follow the same pattern:

aimer *to like*	habiter *to live*
écouter *to listen*	regarder *to watch*

1.2 Irregular verbs: *avoir, être, faire, aller*

Some of the most useful verbs are irregular. Irregular verbs have a pattern of their own so you need to learn them.

avoir *to have*

Singulier	Pluriel
j'ai *I have*	nous avons *we have*
tu as *you have*	vous avez *you have*
il/elle a *he/she has*	ils/elles ont *they have*

être *to be*

Singulier	Pluriel
je suis *I am*	nous sommes *we are*
tu es *you are*	vous êtes *you are*
il/elle est *he/she is*	ils/elles sont they are

faire *to do*

Singulier	Pluriel
je fais *I do*	nous faisons *we do*
tu fais *you do*	vous faites *you do*
il/elle fait *he/she does*	ils/elles font *they do*

aller *to go*

Singulier	Pluriel
je vais *I go*	nous allons *we go*
tu vas *you go*	vous allez *you go*
il/elle va *he/she goes*	ils/elles vont *they go*

2 Verbs (2): reflexive verbs

Some verbs are called 'reflexive' verbs because they add **me/te/se** in front of the verb, e.g. se coucher *to go to bed*.

Singulier	Pluriel
je me couche *I go to bed*	nous nous couchons *we go to bed*
tu te couches *you go to bed*	vous vous couchez *you go to bed*
il/elle se couche *he/she goes to bed*	ils/elles se couchent *they go to bed*

These verbs behave in the same way:

s'appeler *to be called* (je m'appelle)*

se réveiller *to wake up* (je me réveille)

se lever *to get up* (je me lève)

se doucher *to have a shower* (je me douche)

s'habiller *to get dressed* (je m'habille)*

se laver *to get washed* (je me lave)

 Before a vowel or 'h', **me/te/se** becomes **m'/t'/s'**.

3   Verbs (3): the near future

You use the near future to talk about what you are going to do. In French you use the verb to go (**aller**) plus the infinitive just as you do in English:

je	vais	aller …	*I am going to go ...*
tu	vas	voir le film	*you are going to see the film*
il	va	manger un croissant	*he is going to eat a croissant*
nous	allons	faire une balade en vélo	*we are going to go for a bike ride*
vous	allez	jouer au basket	*you are going to play basketball*
ils/elles	vont	aller en ville	*they are going to go to town*

4   Verbs (4): talking about the past

You use the perfect tense to talk about the past. The perfect tense is made up of two parts:

1	2
(*'helper' verb*)	(*past participle*)
j'ai	acheté
I have	*bought*
j'ai	vu
I have	*seen*
il a	mangé
he has	*eaten*

Part 1 is part of the 'helper' verb **avoir** (or **être**).
Part 2 is the past participle of the main verb.

Most verbs 'go with' **avoir** (just as in English) but in French some verbs 'go with' **être**.

	1	2
aller	je suis	allé(e)
	I have	*gone*
rentrer	ils sont	rentrés
	they have	*come back*

> When you are writing you have to remember to make the past participle 'agree'. When you're speaking you can't hear the difference.
>
> il est allé …
>
> elle est all**e** …

To make the past participle of a verb which ends in –**er**, you take off the –**er** and add **é**.

acheter	acheté
aimer	aimé
habiter	habité
manger	mangé
regarder	regardé
parler	parlé
porter	porté

Some verbs have irregular past participles, but they are quite easy to remember!

avoir	eu	faire	fait
boire	bu	écrire	écrit
voir	vu	lire	lu

5 The negative: saying you don't do something

You put **ne** in front of the verb and **pas** after it.

Je **ne** mange **pas**.	*I don't eat.*
Je **ne** bois **pas**.	*I don't drink.*
Il **ne** va **pas** en ville.	*He isn't going to town.*

6 The interrogative: asking a question

You use the **tu** or **vous** form.

You can ask a question:

a by raising the voice
   Tu as un crayon?

   or

b by changing the order
   As-tu un crayon?

7 The conditional: how to say 'I would ...'

To say you 'would' do something you use the part of the verb called 'the conditional'.

vouloir	*to like*
je voudrais ...	*I would like ...*
Je voudrais un kilo de pommes.	*I would like a kilo of apples.*
Je voudrais aller au cinéma.	*I would like to go to the cinema.*

8 How to say what you have to do:

Il faut + *infinitive*	*It is necessary to ...*
Il faut aller en ville.	*You have to go to town.*
Il faut cliquer sur ...	*You have to click on ...*

9 Nouns (1): masculine and feminine

Remember that all French nouns are either masculine or feminine (he or she).

le livre	*the book*	il est grand	*it is big (literally: he is big)*
la table	*the table*	elle est petite	*it is small (literally: she is small)*

The words for 'the' and 'a':

	Masculin	*Féminin*	*Pluriel*
the	le (l')	la (l')	les
a	un	une	

 Remember you use **l'** before words which begin with a vowel: **l'eau** – *water*.

10 Nouns (2): the plural

You use the plural if you are talking about more than one person or thing. To make the plural most words add **-s** (just as in English) but you don't pronounce it!

un frère, deux frères	*one brother, two brothers*

Words which already end in **-s** stay the same:

un bras, deux bras	*one arm, two arms*

Some words end in **-ou**, **-au** and **-eu** and they add **x**:

un genou, deux genoux	*one knee, two knees*

Grammaire

11 How to say 'some': *du/de la/de l'/des*

We don't always use 'some' in English but in French they always put 'some' in.
When **de** is used in front of **le/la/les**, it sometimes combines as follows:

	Masculin	Féminin	Pluriel
the	le (l')	la (l')	les
some	du (de l')	de la (de l')	des
	du pain	de la confiture	des céréales

Je mange des céréales.	*I eat (some) cereal.*
Je bois du lait.	*I drink (some) milk.*

But if you say you don't eat something, **du/de la** and **des** all become **de** and
de l' becomes **d'**.

Je ne mange pas de pain.	*I don't eat (any) bread.*
Je ne mange pas de confiture.	*I don't eat (any) jam.*
Je ne mange pas de céréales.	*I don't eat (any) cereal.*

12 How to say 'to': au/à la/à l'/aux

	Masculin	Féminin	Pluriel
to the	au (à l')	à la (à l')	aux

au cinéma *to the cinema* à la piscine *to the swimming pool*
aux toilettes *to the toilet(s)* à l'école *to school*

13 Adjectives

Adjectives are describing words. In French they have to 'agree' with the person
or thing they are describing. Most adjectives add **–e** when you are talking about
a girl or something feminine and **–s** when you are talking about more than one
thing or person.

Exemple: une grande sœur

	Singulier		Pluriel	
	Masc.	Fém.	Masc.	Fém.
big	grand	grande	grands	grandes
small	petit	petite	petits	petites
blue	bleu	bleue	bleus	bleues
blonde	blond	blonde	blonds	blondes
*rouge**	rouge	rouge	rouges	rouges

*Words which already end in **–e** stay the same in the singular.

14 The comparative: How to say something is bigger/smaller

This is called the 'comparative' because you are comparing two things.

You use **plus grand(e)** or **plus petit(e)**.

Masculin	Féminin
Christophe est plus grand que Jérôme. *Christophe is bigger than Jérôme.*	Virginie est plus grande que Chloë. *Virginie is bigger than Chloë.*
Jérôme est plus petit que Christophe. *Jérôme is smaller than Christophe.*	Chloë est plus petite que Virginie. *Chloë is smaller than Virginie.*

15 The superlative: how to say who is tallest/shortest

This is called the superlative because they are the best/biggest/smallest of a group.

Masculin	Féminin
Jérôme est le plus grand. *Jérôme is the biggest.*	Virginie est la plus grande. *Virginie is the biggest.*
Christophe est le plus petit. *Christophe is the smallest.*	Chloë est la plus petite. *Chloë is the smallest.*

16 Possessive adjectives: my, your, his/her and our

My, you, his, her and our are called possessive adjectives because they show possession or ownership. The possessive adjective agrees with the noun it describes.

	Singulier		Pluriel	
	Masc.	Fém.	Masc.	Fém.
my friend(s)	mon copain	ma copine	mes copains	mes copines
your friend(s)	ton copain	ta copine	tes copains	tes copines
his/her friend(s)	son copain	sa copine	ses copains	ses copines
our friend(s)	notre copain	notre copine	nos copains	nos copines

 Notice there is only one word for both 'his' and 'her' in French.

17 Question words

Comment?	*How? Pardon?*
Quand?	*When?*
Qui?	*Who?*
Que?	*What?*
Combien?	*How many? How much?*
Où?	*Where?*
Qu'est-ce que c'est?	*What is this?*

18 Useful joining words

et *and*
mais *but*
puis *then*
ensuite *next*
alors *then*
après *after*

19 Expressing an opinion

C'est ...	It is ...
super	super
cool	cool
génial	great
o.k.	ok
intéressant	interesting
ennuyeux	boring
fatigant	tiring
nul	useless

20 The alphabet and accents

a ah	*h* ash*	*o* oh	*v* vay
b bay	*i* ee	*p* pay	*w* dooblah vay
c say	*j* jee*	*q* kue*	*x* icks
d day	*k* ka	*r* err*	*y* ee grec
e uh*	*l* ell	*s* ess*	*z* zed
f eff*	*m* em	*t* tay	
g j'ai*	*n* en	*u* euh*	

*These are the ones which are hard to say. Listen to them carefully on the cassette.

The **accent aigu é** is only found on an 'e' and changes the sound to 'ay'.
The **accent grave è** changes the 'e' sound to 'eh'.
The **accent grave** on **à** sounds 'ah'.
The **accent circonflexe** is found on â ê î ô û, but does not change the sound much.
The **cédille** is only found on **ç** and it 'keeps' the 'c' sound 'soft' as in **français**.

21 Quantities

1kg	un kilo
500g	cinq cent grammes
250g	deux cent cinquante grammes
200g	deux cents grammes
100g	cent grammes

22 Numbers

1 un	12 douze	50 cinquante
2 deux	13 treize	60 soixante
3 trois	14 quatorze	65 soixante-cinq
4 quatre	15 quinze	70 soixante-dix
5 cinq	16 seize	75 soixante-quinze
6 six	17 dix-sept	80 quatre-vingts
7 sept	18 dix-huit	85 quatre-vingt-cinq
8 huit	19 dix-neuf	90 quatre-vingt-dix
9 neuf	20 vingt	99 quatre-vingt-dix-neuf
10 dix	30 trente	100 cent
11 onze	40 quarante	

first and last

premier/première *first*
deuxième *second*
troisième *third*
dernier/dernière *last*

23 Time expressions

Quand? *When?*
aujourd'hui *today*
demain *tomorrow*
ce matin *this morning*
cet après-midi *this afternoon*
ce soir *this evening*

Days of week: les jours de la semaine
lundi   mardi   mercredi   jeudi   vendredi   samedi   dimanche

 Note that in French the days of the week and months do not begin with a capital letter.

Months: les mois de l'année
janvier   février   mars   avril   mai   juin
juillet   août   septembre   octobre   novembre   décembre

Mon anniversaire est le (quinze août).

Vocabulaire français–anglais

A

à proximité *nearby*
à quelle heure? *at what time?*
à sept heures *at seven o'clock*
à tout à l'heure *see you later*
l' abricot *apricot*
l' acceptation (f) *acceptance*
l' accompagnateur(trice) *accompanying adult*
d' accord *okay*
l' accueil (m) *reception/welcome*
l' accueil des familles *families welcome*
j' achète *I buy*
j'ai acheté *I bought*
nous avons acheté *we bought*
acheter *to buy*
l' action (f) *action*
d' action *action*
l' activité (f) *activity*
admirer *to admire*
j' adore *I love*
l' adresse (f) *address*
adversaire *enemy*
âge (m) *age*
agréer *to agree*
agressif(ive) *aggressive*
j' ai fait du vélo *I rode my bike*
j' ai les cheveux ... *I have ... hair*
l' ail (m) *garlic*
je n' aime pas *I don't like*
j' aime *I like*
j' aime aller à ... *I like going to ...*
je suis allé(e) *I went*
nous sommes allé(e)s *we went*
aller *to go*
aller à la/au ... *to go to the ...*
je vais aller à ... *I'm going to go to ...*
aller à la pêche *to go fishing*
allez chez le dentiste *go to the dentist's (vous command)*
alors *so/then*
l' alpage (m) *alp*
l' amour (m) *love*
amusant(e) *amusing*
l' an (m) *year*
l' ananas (m) *pineapple*
anglais(e) *English*
l' Angleterre *England*
l' animal *pet*
l' anniversaire (m) *birthday*
antillais(e) *West Indian*
août *August*
je m' appelle *I am called*
s' appeler *to be called*
apprendre *to learn*
après *after*
l' après-midi *afternoon*

mon arbre généalogique *my family tree*
l' Arc de triomphe *famous arch*
je n'ai pas d' argent *I don't have any money*
je suis arrivé(e) *I arrived*
l' art dramatique *theatre, drama*
les artistes de mime (m/fpl) *mime artists*
l' aspirine (f) *aspirin*
nous avons assisté *we went to*
assister à un match de foot *to be present at a football match*
attaquer *to attack*
au Canada *in Canada*
au moins *at least*
au pays de Galles *in Wales*
l' auberge de jeunesse (f) *youth hostel*
l' aubergine (f) *aubergine*
aujourd'hui *today*
aussi *also*
autour de *around*
avec *with*
aventureux (euse) *adventurous*
l' avenue des Champs Élysées *famous avenue in Paris*
avez-vous ...? *have you ...?*
en avion *by plane*
avoir *to have*
nous avons *we have*

B

le badminton *badminton*
la baguette *French stick*
la balade *walk*
la banane *banana*
le barbecue *barbecue*
le basket *basketball*
les baskets *trainers*
le bateau *boat*
le bâtiment *building*
beaucoup *a lot*
le beau-frère *stepbrother*
le beau-père *stepfather*
beau/belle *good-looking*
la belle-mère *stepmother*
la belle-sœur *stepsister*
le beurre *butter*
une bibliothèque *library*
bientôt *soon*
le bifteck *steak*
blanc(he) *white*
bleu(e) *blue*
bleu-gris(e) *blue-grey*
blond(e) *blond (hair)*
le bœuf *beef*

boire *to drink*
je bois *I drink*
je ne bois rien *I am not drinking anything*
une boisson gazeuse *a fizzy drink*
les boissons (fpl) *drinks*
une boîte *tin*
les bonbons (mpl) *sweets*
bonjour *hello, good morning*
la bouche *mouth*
la boucherie *butcher's*
bouclé(e) *curly*
la boulangerie *baker's*
la bouteille *bottle*
une bouteille d'eau minérale *a bottle of mineral water*
le bras *arm*
brun(e) *brown*
j'ai bu *I drank*
le burger *burger*

C

c'est *it is*
c'est à quelle heure? *when is it?*
c'est comment? *what is it like?*
c'est ennuyeux *it's boring*
c'est fatigant *it's tiring*
c'est génial *it's great*
c'est marrant *it's fun*
c'est quel genre de film? *what sort of film is it?*
c'est super *it's super*
c'est tout? *Is that all?*
c'est un film ... *it's a ... film*
la cabine téléphonique *telephone booth*
le café *coffee*
le café au lait *white coffee*
à la campagne *to the country*
au Canada *in Canada*
canadien(ne) *canadian*
le canal *canal*
le canoë *canoeing*
à la cantine *at the canteen*
capitale *capital*
car *because*
en car *by coach*
un carnet de tickets *a book of ten tickets*
les carottes *carrots*
les carottes râpées *grated carrot*
une carte *a map*
les cartes *cards*
les cartes postales *postcards*
le cassis *blackcurrant*
la cathédrale *cathedral*
la cathédrale Notre-Dame *Notre-Dame cathedral (Paris)*
ce matin *this morning*
ce soir *this evening*

un centre aéré *an outdoor centre*
le Centre Pompidou *Pompidou Centre (Paris)*
les céréales *cereals*
la cerise *cherry*
la chambre *bedroom*
les champignons *mushrooms*
changez *change (vous command)*
la chanson *song*
nous chantons *we sing*
chaque *each*
la charcuterie *delicatessen*
le chat *cat*
châtain *chestnut brown (hair)*
un château *castle*
j'ai chaud *I am hot*
cher/chère *dear*
chercher *to look for*
le cheval *horse*
les cheveux *hair*
chez *at the house of*
chez mon copain/ma copine *at my friend's house*
le chien *dog*
les chips *crisps*
le chocolat chaud *hot chocolate*
choisir *to choose*
choisissez *choose (vous command)*
la chose *thing*
le chou *cabbage*
le chou-fleur *cauliflower*
au cinéma *to the cinema*
... heures cinq *five past ...*
cinquante *fifty*
la Cité des Sciences et de l'Industrie *Museum of Science and Industry (Paris)*
le citron *lemon*
ma classe *my class*
cliquer sur *to click on*
au club des jeunes *to the youth club*
un coca *a coca-cola*
le cochon d'Inde *a guinea-pig*
au collège *to school*
le collège *secondary school (ages 10–14)*
combien? *how much/how many?*
commencer *to start*
comment *how*
comment ça va? *how are you?*
comment y vas-tu? *how are you going there?*
les comprimés *pills*
compris *included*
au concert *to a concert*
le concombre *cucumber*
la confiture *jam*
confortable *comfortable*
connaître *to get to know*

conseiller *to advise*
contacter *to contact (a person)*
un contrôle *a test*
cool *cool*
mon/ma copain/copine *my friend*
mes copains *my friends*
le corps *body*
mon/ma correspondant(e) *my penpal*
correspondre *to correspond*
le cou *neck*
je me couche *I go to bed*
se coucher *to go to bed*
courageux/euse *brave*
la courgette *courgette*
le cours *lesson*
court(e) *short*
mon cousin *my cousin* (m)
ma cousine *my cousin* (f)
un crayon *pencil*
le croissant *croissant*
la cuisine *kitchen*
le cyclisme *cycling*

D

la danse *dance*
d' *from, of (before vowel or 'h')*
au début *at the beginning*
de... à *from...to*
dehors *outside*
je déjeune *I have lunch*
le déjeuner *lunch*
délicieux/euse *delicious*
le demi-frère *half-brother*
la demi-sœur *half-sister*
la dent *tooth*
le dentifrice *toothpaste*
le dentiste *dentist*
le départ *departure*
depuis longtemps *for a long time*
descendez *get off (vous command)*
la descente *descent*
le dessert *dessert*
un dessin *a drawing*
le dessin animé *cartoon*
devant *in front of*
les devoirs *homework*
dimanche *Sunday*
dire *to say*
direction *in the direction of*
discuter *to discuss*
dix-huit heures *six o'clock (p.m.)*
dix-neuf heures *seven o'clock (p.m.)*
le doigt *finger*
donc *so*
donnez-moi *give me (vous command)*
le dos *back*
je me douche *I have a shower*

se doucher *to have a shower*

E

l' eau (f) *water*
l' eau minérale *mineral water*
écossais(e) *Scottish*
l' Écosse *Scotland*
j'ai écouté *I listened*
j' écoute de la musique *I listen to music*
écouter *to listen*
écrire *to write*
écris-moi *write to me*
les effets spéciaux *special effects*
effrayant(e) *frightening*
électronique *electronic*
elle *she*
elle est *she is*
c'est embêtant *it's annoying*
émouvant(e) *moving/touching*
en *in/to*
enfantin(e) *childish*
ennuyeux/euse *boring*
énorme *enormous*
ensemble *together*
ensuite *next*
l' entraînement (m) *training*
s' entraîner *to practise*
les entrées *starters*
entrer *to enter*
l' épaule (f) *shoulder*
les épinards *spinach*
l' équitation (f) *horse-riding*
l' escalade (f) *climbing*
les escaliers (mpl) *stairs*
l' escargot (m) *snail*
il est *he/it is*
et *and*
et demie *half past*
et quart *quarter past*
être *to be*
l' excuse (f) *excuse*
une exposition *an exhibition*

F

j'ai faim *I am hungry*
faire *to do*
faire de la planche à voile *to go windsurfing*
faire des randonnées *to go hiking*
faire du cheval *to go horse-riding*
faire les magasins *to go shopping*
faire un tour sur les manèges *to go to an amusement park*
faire une balade à vélo *to go for a bike ride*
je fais *I do*
je fais du vélo *I go cycling*

je   **fais mes devoirs** *I do my homework*

je ne   **fais rien** *I don't do anything*

j'ai   **fait** *I made/took*

que   **fait…?** *What is … doing?*

je n'ai pas   **fait de …** *I didn't do …*

j'ai   **fait du roller** *I went roller-blading*

la   **famille** *family*

les   **fantômes** *ghosts*

fatigant(e) *tiring*

je suis   **fatigué** *I am tired*

il   **faut** *we'll have to*

faux *false*

le   **faux-filet** *sirloin steak*

fermer *to shut*

féroce *fierce*

le   **ferry** *ferry*

un   **feu** *a fire*

de la   **fièvre** *a temperature*

la   **fille** *girl*

le   **film** *film*

la   **fin** *end*

le   **football** *football*

en   **forme de** *in the shape of*

fort *strong*

les   **fraises (fpl)** *strawberries*

les   **framboises (fpl)** *raspberries*

français(e) *French*

le   **frère** *brother*

le   **frère jumeau** *twin brother*

les   **frites** *chips*

j'ai   **froid** *I am cold*

le   **fromage** *cheese*

le   **front** *forehead*

un   **fruit** *a fruit*

fumer *to smoke*

le   **futur** *future*

G

gallois(e) *Welsh*

le   **garçon** *boy*

les   **gardes** *guards*

la   **gare du Nord** *the main station for trains from the UK*

le   **gâteau** *cake*

gazeux/euse *fizzy*

génial *brilliant!*

le   **genou** *knee*

la   **glace** *icecream*

la   **gorge** *throat*

grand(e) *big*

la   **Grande Arche de la Défense** *the arch at la Défense (Paris)*

plus   **grand(e)** *bigger*

le/la plus   **grand(e)** *the biggest*

la   **grand-mère** *grandmother*

le   **grand-père** *grandfather*

les   **grands magasins** *the department store*

les   **grands-parents** *grandparents*

le   **graphique** *graph*

gras(se) *greasy*

la   **griffe** *claw*

gris(e) *grey*

la   **Guerre des Étoiles** *Star Wars*

la   **guitare** *guitar*

la   **gymnastique rythmique et sportive** *gymnastics*

H

je m'   **habille** *I get dressed*

s'   **habiller** *to get dressed*

j'   **habite à** *I live in*

il/elle   **habite à** *he/she lives at*

habiter *to live*

où   **habites-tu?** *where do you live?*

les   **haricots** *green beans*

hélas *alas/sadly*

hier *yesterday*

l'   **histoire (f)** *history*

les   **histoires de fantômes (f pl)** *ghost stories*

historique *historical*

un   **hôtel** *hotel*

hypnotiser *hypnotise*

I

ici *here*

idéal(e) *ideal*

il *he*

il est *he is*

il n'y a pas de *there isn't/aren't any*

il y a *there is/are*

s'   **informer sur** *to find out about*

intéressant *interesting*

à l'   **intérieur** *on the inside*

l'   **invitation (f)** *invitation*

irlandais(e) *Irish*

Irlande *Ireland*

J

la   **jambe** *leg*

le   **jambon** *ham*

jaune *yellow*

je   **I**

un   **jean** *jeans*

le   **jeu vidéo** *video game*

jeudi *Thursday*

les   **jeux de société** *board games*

le   **jogging** *jogging*

joli(e) *pretty*

je   **joue** *I play*

j'ai   **joué** *I played*

je   **joue au foot** *I play football*

je   **joue au tennis** *I play tennis*

je n'ai pas   **joué** *I didn't play*

jouer au/aux … *to play …*

le   **jour** *day*

le   **judo** *judo*

le   **juillet** *July*

le   **jumeau** *twin (m)*

la   **jumelle** *twin (f)*

le   **jus d'orange** *orange juice*

K

le   **kangarou** *kangaroo*

le   **kayak** *kayaking*

L

le   **lac** *lake*

le   **lait** *milk*

la   **langue** *tongue*

laquelle? *which? (f)*

je me   **lave** *I wash*

se   **laver** *to get washed*

la   **laverie** *laundry*

la   **leçon** *lesson*

la   **lecture** *reading*

lequel? *which? (m)*

une   **lettre** *letter*

je me   **lève** *I get up*

se   **lever** *to get up*

la   **lèvre** *lip*

la   **ligne** *line*

une   **limonade** *a lemonade*

le   **linge** *laundry*

lire *to read*

je   **lis** *I read*

lisse *smooth*

le   **lit** *bed*

le   **livre** *book*

la   **location de vélos** *bicycle hire*

louer *to hire*

lundi *Monday*

le   **lycée** *6th form college (ages 15–18)*

M

ma *my (f)*

le   **magasin** *shop*

le   **magnétoscope** *video recorder*

le   **maillot de bain** *swimsuit/trunks*

je n'ai pas mon   **maillot de bain** *I have not got my swimming costume/trunks*

la   **main** *hand*

j'ai   **mal à la gorge** *sore throat*

j'ai   **mal à la tête** *headache*

j'ai   **mal au ventre** *stomach ache*

j'ai   **mal aux dents** *toothache*

j'ai   **mal aux oreilles** *earache*

j'ai   **mal aux pieds** *sore feet*

je suis   **malade** *I am ill*

je   **mange** *I eat*

je   **mange au snack** *I eat at the fast food restaurant*

je ne   **mange rien** *I am not eating anything*

manger *to eat*

le   **marché** *market*

mardi *Tuesday*

marrant(e) *funny*

le   **match de foot** *football match*

le   **matin** *in the morning*

le/la   **meilleur(e)** *the best*

même *even*
le/la même *the same*
la mer *sea*
merci *thank you*
mercredi *Wednesday*
la mère *mother*
mes *my (pl)*
je mesure *I am ......tall*
le métro *metro*
je mets *I put on*
mettez un pull *put on a pullover*
mettre *to put on*
midi *midday*
le miel *honey*
la mode *fashion*
moi *me*
moins *less*
moins cinq *five to*
moins le quart *a quarter to*
moins vingt *twenty to*
le mois *month*
la momie *mummy*
mon *my (m)*
le monde *world*
le monstre *monster*
à la montagne *to the mountains*
monter *to climb*
les monuments *the sights*
se moquer de *to make fun*
les mouchoirs en papier *tissues*
la mousse au chocolat *chocolate mousse*
le moyen de transport *means of transport*
le mur *wall*
le mur d'escalade *climbing wall*
le musée *museum*
le musée du Louvre *Louvre museum (Paris)*
la musique *music*

N

nager *to swim*
la natation *swimming*
la nature *nature*
ne pas ... *don't ...*
le nez *nose*
noir *black*
noisette *hazel*
le nom *name*
les nombres *numbers*
non gazeuse *still (water)*
le nord *north*
normalement *normally*
nos *our (pl)*
notre *our (sing)*
nous *we*
la nuit *night*
nul *rubbish*

O

un œil *an eye*
un œuf *an egg*
les oignons *onions*
on pourrait *we could*
mon oncle *my uncle*
les oranges *oranges*
l' orchestre (m) *orchestra*
l' ordinateur (m) *computer*
l' oreille (f) *ear*
où ? *where?*
où habites-tu? *where do you live?*
où vas-tu? *where are you going?*
ouvert *open*
ouvrir *to open*

P

le pain *bread*
le pain au chocolat *pain au chocolat*
le pain grillé *toast*
le pamplemousse *grapefruit*
un panier-repas *a packed lunch*
un paquet *a packet*
le parapente *paragliding*
au parc *to the park*
au parc d'attractions *to the amusement park*
parce que *because*
mes parents *my parents*
paresseux/euse *lazy*
parfois *sometimes*
le parking *parking*
partir *to set off*
pas mal *not bad*
mes passe-temps *my hobbies*
passer *to spend*
je suis passioné de *I am a fan of*
les pâtes *pasta*
la pâtisserie *cake shop*
la patte *paw*
pay de Galles *Wales*
la peau *skin*
la pêche *fishing*
la peinture *painting*
pendant *during*
pénétrant *piercing*
le péniche *barge*
je pense *I think*
le père *father*
le perfectionnement *perfecting*
se perfectionner *to perfect*
le petit déjeuner *breakfast*
petit(e) *small*
les petits pois *peas*
je peux *I can*
je ne peux pas *I can't*
à la pharmacie *to the chemist's*
le piano *piano*
le pied *foot*
les pinces de crabe *crab pincers*
le ping-pong *table tennis*
le pique-nique *picnic*

la piscine *swimming pool*
à la piscine *to the swimming pool*
pistache *pistachio*
le plafond *ceiling*
à la plage *to the beach*
la planche à voile *windsurfing*
le plat principal *main course*
pleurer *to cry*
la plongée *diving*
la plupart *most of*
plus *more*
plus grand(e) *bigger*
plus petit(e) *smaller*
le/la plus proche *the nearest*
plus que *more than*
plus tard *later*
plus tôt *earlier*
le poil *hair/fur*
la poire *pear*
le poisson *fish*
la pomme *apple*
les pommes de terre *potatoes*
le pont *bridge*
un pot *a pot*
le poulet *chicken*
pour aller à *to get to*
pour combien de temps? *for how long?*
pourquoi? *why?*
je pourrais *I could*
on pourrait *we could*
on pourrait aller *we could go to*
pouvoir *to be able*
pratique *practical*
je préfère *I prefer*
préférer *to prefer*
préhistorique *prehistorical*
prendre *to take*
je prends *I take*
prenez *take (vous command)*
prenez des comprimés *take some pills (vous command)*
prenez du sirop *take some cough medicine (vous command)*
prenez le métro *take the metro (vous command)*
près *near*
prochain(e) *next*
le/la professeur *teacher*
le progrès *progress*
le projet *project*
la promenade *walk*
se promener *to go for a walk*
puis *then*
le pull *pullover*

Q

qu'est-ce que c'est? *what is it?*
quand? *when?*
quarante *forty*
le quartier *district*
quatre-vingt-dix *ninety*

quatre-vingts *eighty*
que *than*
quel âge as-tu? *how old are you?*
quelque chose *something*
quelquefois *sometimes*
la queue *tail*
en queue de cheval *in a ponytail*
qui *who*
quinze heures *three o'clock (p.m.)*

R

le rafting *rafting*
les raisins *grapes*
la randonnée *hiking*
le rap *rap music*
rapide *quick*
je recherche *I am looking for*
je regarde la télé *I watch TV*
j'ai regardé *I watched*
regarder *to watch*
je suis rentré(e) *I went back*
rentrer *to return*
le repas *meal*
le repas de midi *midday meal*
le repas du soir *evening meal*
se reposer *to rest*
respirer *to breathe*
le restaurant *restaurant*
je reste à la maison *I stay at home*
je suis resté(e) *I stayed*
restez *stay (vous command)*
restez au chaud *keep warm (vous command)*
restez au lit *stay in bed (vous command)*
on se retrouve à... *we will meet at...*
retrouver *to meet up*
je me réveille *I wake up*
se réveiller *to wake up*
la rivière *river*
le riz *rice*
robuste *robust*
le roller *rollerblading*
romantique *romantic*
rose *pink*
rouge *red*
roux/sse *red (hair)/redhead*

S

sa *his/her (f)*
le sable *sand*
le sac *bag*
le Sacré-Cœur *cathedral of the Sacred Heart (Paris)*
je sais *I know*
la salade *lettuce*
une salade verte *a green salad*
la salle de jeux *games room*
samedi *Saturday*
les sanitaires *washrooms*

le sapin *fir tree*
le saucisson *sausage*
sauter *to jump*
savoir *to know*
la science *science*
de science-fiction *science fiction*
sec/sèche *dry*
sécher *to dry*
la Seine *river in Paris*
la semaine *week*
sentir *to feel/to smell*
sera fermé(e) *will be closed*
ses *his/her (pl)*
le shampooing *shampoo*
le shopping *shopping*
le sirop *cough mixture*
la sœur *sister*
j'ai soif *I am thirsty*
ce soir *this evening*
soixante *sixty*
soixante-dix *seventy*
soixante-quinze *seventy-five*
solide *solid*
sombrer *to sink*
son *his/her (m)*
je sors *I go out*
sortir *to go out*
la soupe *soup*
le sourcil *eyebrow*
je souris *I smile*
la souris *mouse*
sous *under*
les souvenirs *souvenirs*
souvent *often*
le sport *sport*
sportif/ive *sporty*
au stade *to the stadium*
un stage *a course*
la station de métro *metro station*
un steak haché *a burger*
sucez *suck (vous command)*
sucez des pastilles pour la gorge *suck throat sweets (vous command)*
le sucre *sugar*
sud-est *south-east*
je suis *I am*
suisse *Swiss*
suivre *to follow*
super! *great!*
le supermarché *supermarket*
j'ai surfé sur le net *I surfed the net*
surfer sur l'internet *to surf the internet*
surtout *especially*
le suspense *suspense*
le sweat *sweatshirt*
sympa *likeable*

T

ta *your (f)*
le tabac *the newsagent's*

la table *table*
ma tante *my aunt*
taper *to type in*
tard *late*
une tarte aux fraises *a strawberry tart*
une tartelette *a tartlet*
une tartine beurrée *a piece of bread and butter*
la technologie *technology*
je n'ai pas le temps *I haven't got time*
le tennis *tennis*
le terrain de sports *sports field*
tes *your (pl)*
ma tête *my head*
le thé *tea*
au théâtre *to the theatre*
le ticket *ticket*
le ticket journée *a day ticket*
timide *shy*
les tomates *tomatoes*
la tombe du Soldat inconnu *grave of the Unknown Soldier*
tomber *to fall*
ton *your (m)*
toucher *to touch*
un tour commenté *a guided tour*
la tour Eiffel *Eiffel tower*
un tour en bateau *a boat trip*
tous les deux *both*
je tousse *I've got a cough*
tout le temps *all the time*
toute à la fois *at the same time*
en train *by train*
traîner *to lie around*
treize heures *one o'clock (p.m.)*
trente *thirty*
très *very*
triste *sad*
j'ai trop de devoirs *I've too much homework*
se trouve *is found*
le truc *thing*
un tube *a tube*
le tunnel sous la Manche *the Channel tunnel*

U

utilisez *use (vous command)*
utilisez une crème *use a cream*

V

les vacances (f pl) *holidays*
je vais *I go*
je vais aller *I will go*
Je vais voir *I am going to see*
vanille *vanilla*
le vélo *bicycle*
à vélo *by bike*

un vélo tout terrain (VTT) *a mountain bike*
vendredi *Friday*
venir *to come*
le ventre *stomach*
un verre d'eau *glass of water*
vert(e) *green*
je veux *I want*
je veux bien *I would like*
je ne veux pas *I don't want to*
la viande *meat*
la vidéo *video*
la vie *life*
je viens *I come*
en ville *to town*
le vin *wine*
vingt heures trente *eight thirty (p.m.)*
une visite *a visit*
visiter les musées *to visit the museums*
vite *quickly*
voir *to see*
je vois *I see*
en voiture *by car*
le volley-ball *volleyball*
vos *your (formal, pl)*
votre *your (formal, sing)*
je voudrais *I would like*
vouloir *to wish/want*
un voyage *a journey*
vrai *true*
vraiment *really*
le VTT *mountain-biking*
j'ai vu *I saw*

Y

un yaourt *a yoghurt*
les yeux *eyes*

Vocabulaire anglais-français

A

a quarter to *moins le quart*
this afternoon *cet après-midi*
I am *je suis*
to the amusement park *au parc d'attractions*
amusing *amusant*
apple *la pomme*
April *avril*
arm *le bras*
arrival *l'arrivée (f)*
I arrived *je suis arrivé(e)*
at what time? *à quelle heure?*
August *août*
my aunt *ma tante*

B

back *le dos*
badminton *le badminton*
baker's *la boulangerie*
banana *la banane*
basketball *le basket*
to the beach *à la plage*
beautiful *beau/belle*
because *parce que*
bed *le lit*
bedroom *la chambre*
big *grand(e)*
bigger *plus grand(e)*
the biggest *le/la plus grand(e)*
by bike *à vélo*
blond hair *les cheveux blonds*
boring *ennuyeux*
I bought *j'ai acheté*
boy *le garçon*
bread *le pain*
breakfast *le petit déjeuner*
brilliant! *génial!*
my brother *mon frère*
brown *brun*
brown hair *les cheveux bruns*
burger *un steak haché*
butcher's *la boucherie*
butter *le beurre*
I buy *j'achète*
to buy *acheter*

C

cabbage *le chou*
cake *le gâteau*
cake shop *la pâtisserie*
Canadian *canadien(ne)*
canoeing *le canoë*
car *la voiture*
car park *le parking*
by car *en voiture*
castle *le château*
change (train) *changez*
Channel tunnel *le tunnel sous la Manche*

cheese *le fromage*
cherries *les cerises (f pl)*
chestnut hair *les cheveux châtains*
chicken *le poulet*
chips *les frites (f pl)*
to the cinema *au cinéma*
climbing *l'escalade (f)*
by coach *en car*
coffee *le café*
computer *l'ordinateur (m)*
to the country *à la campagne*
a course (study) *un stage*
my cousin (f) *ma cousine*
my cousin (m) *mon cousin*
crisps *les chips (f pl)*

D

dance *la danse*
a day *un jour*
December *décembre*
departure *le départ*
I did/made *j'ai fait*
diving *la plongée*
I do my homework *je fais mes devoirs*
I do *je fais*
to do *faire*
dog *le chien*
drama *l'art dramatique (m)*
drawing *le dessin*
I drink *je bois*
to drink *boire*
drink *la boisson*
dry *sec/sèche*

E

ear *l'oreille (f)*
earache *mal aux oreilles*
I eat *je mange*
to eat *manger*
egg *l'œuf (m)*
eighty *quatre-vingts*
England *l'Angleterre (f)*
this evening *ce soir*
an eye *un œil*
eyebrow *le sourcil*
eyes *les yeux (m pl)*

F

family tree *l'arbre généalogique (m)*
my father *mon père*
my favourite hobbies *mes passe-temps préférés (m pl)*
February *février*
fifty *cinquante*
finger *le doigt*
fish *le poisson*
fishing *la pêche*

fizzy *gazeux/euse*
flan *la tartelette*
foot *le pied*
forty *quarante*
French *français(e)*
Friday *vendredi*
my/his/her friend (f) *ma/sa copine*
my/his/her friend (m) *mon/son copain*
my/his/her friends (m+f) *mes/ses copains*
fruit *le fruit*
fun *marrant(e)*
funny *amusant*
fur *le poil*

G

games room *la salle de jeux*
garlic *l'ail (m)*
I get dressed *je m'habille*
get off *descendez*
I get up *je me lève*
I get washed *je me lave*
girl *la fille*
I go out *je sors*
I go to bed *je me couche*
go to the *aller à la/au*
I go *je vais*
to go *aller*
I am going (there) *j'y vais*
I'm going to go to the … *je vais aller au …*
I'm going to see … *je vais voir …*
I'm going to … *je vais à la/au …*
my grandfather *mon grand-père*
my grandmother *ma grand-mère*
my grandparents *mes grands-parents*
grapefruit *le pamplemousse*
grapes *les raisins (m pl)*
grated carrot *les carottes râpées (f pl)*
greasy *gras*
grey *gris*
guinea pig *le cochon d'Inde*
guitar (classic/electric) *la guitare classique/électrique*
gymnastics *la gymnastique rythmique et sportive*

H

hair *les cheveux (m pl)*
half past *et demie*
ham *le jambon*
hand *la main*
he/she has a brother *il/elle a un frère*
I have a shower *je me douche*
have you …? *Avez-vous …?*
I have *j'ai*
to have *avoir*
hazel *noisette*
head *la tête*

headache *mal à la tête*
hiking *la randonnée*
my hobbies *mes passe-temps* (m pl)
holidays *les vacances* (f pl)
horse riding *l'équitation* (f)
hot chocolate *le chocolat chaud*
how old are you? *quel âge as-tu?*

I

I *je*
ice-cream *une glace*
interesting *intéressant*
Irish *irlandais(e)*
he/she is 13 *il/elle a 13 ans*
he/she is French *il/elle est français(e)*

J

jam *la confiture*
January *janvier*
jeans *un jean*
journey *le voyage*
judo *le judo*
July *juillet*
June *juin*

K

kitchen *la cuisine*
knee(s) *le genou, les genoux*

L

lake *le lac*
laundry *la laverie*
leg *la jambe*
lemon *le citron*
lemonade *une limonade*
lettuce *la salade*
I like to go … *j'aime aller …*
I like *j'aime*
I don't like *je n'aime pas*
I would like *je voudrais/j'aimerais*
lip *la lèvre*
I listen *j'écoute*
I live in … *j'habite à …*
he/she lives in … *il/elle habite à …*
I love *j'adore*
lunch *le déjeuner*

M

I made/took *j'ai fait*
main course *le plat*
to make *faire*
map *la carte*
March *mars*
May *mai*
me *moi*
meal *le repas*
meat *la viande*
midday *midi*
milk *le lait*

mineral water *l'eau minérale* (f)
Monday *lundi*
month *le mois*
in the morning *le matin*
this morning *ce matin*
my mother *ma mère*
to the mountains *à la montagne*
mushrooms *les champignons* (m pl)

N

neck *le cou*
night *la nuit*
ninety *quatre-vingt-dix*
nose *le nez*
November *novembre*
numbers *les nombres* (m pl)

O

onion *l'oignon* (m)
orange juice *le jus d'orange*
oranges *les oranges* (f pl)
orchestra *l'orchestre* (m)
outdoor centre *un centre aéré*

P

paintings *les peintures* (f pl)
paragliding *le parapente*
to the park *au parc*
pasta *les pâtes* (f pl)
pear *la poire*
my penpal *mon* (ma) *correspondant(e)*
pet *l'animal* (m)
photo *la photo*
pineapple *l'ananas* (m)
place *la place*
by plane *en avion*
I play *je joue*
to play *jouer*
I played *j'ai joué*
please *s'il vous plaît*
potatoes *les pommes de terre* (f pl)

Q

quarter past *et quart*

R

rafting *le rafting*
rap music *le rap*
raspberries *les framboises* (f pl)
red hair *les cheveux roux*
restaurant *le restaurant*
I returned *je suis rentré(e)*
rice *le riz*
I ride my bike *je fais du vélo*
to the river *à la rivière*
rock music *la musique rock*

S

sad *triste*
salami *le saucisson*
Saturday *samedi*
I saw *j'ai vu*
to say *dire*
Scottish *écossais(e)*
I see *je vois*
to see *voir*
September *septembre*
seventy *soixante-dix*
seventy five *soixante-quinze*
she *elle*
shop *le magasin*
short hair *les cheveux courts*
the sights *les monuments*
sister *la sœur*
my sister *ma sœur*
six o'clock *dix-huit heures*
sixty *soixante*
skin *la peau*
small *petit(e)*
smaller *plus petit(e)*
the smallest *le/la plus petit(e)*
sore feet *mal aux pieds*
sore throat *mal à la gorge*
souvenirs *les souvenirs* (m pl)
to the sports ground *au terrain de sport*
to the stadium *au stade*
starter *l'entrée*
I stay at home *je reste à la maison*
to stay at home *rester à la maison*
I stayed at home *je suis resté(e) à la maison*
I stayed *je suis resté(e)*
steak *un bifteck*
stomach ache *mal au ventre*
strawberries *les fraises* (f pl)
sugar *le sucre*
Sunday *dimanche*
supermarket *le supermarché*
surf the (inter)net *surfer sur l'internet*
sweets *les bonbons* (m pl)
to swim *nager*
swimming *la natation*
Swiss *suisse*

T

table tennis *le ping-pong*
tennis *le tennis*
tail *la queue*
tea *le thé*
teeth *les dents* (f pl)
telephone booth *la cabine téléphonique*
temperature *la fièvre*
ten past … *… dix*
terrifying *effrayant*

than *que*
thank you *merci*
that's all *c'est tout*
theatre *l'art dramatique* (m)
there is/are *il y a*
there isn't/aren't any *il n'y a pas de*
three o'clock *quinze heures*
Thursday *jeudi*
a tin *une boîte*
tiring *fatigant*
toast *le pain grillé*
tomatoes *les tomates* (f pl)
tongue *la langue*
toothache *mal aux dents*
tortoise *la tortue*
tour *le tour*
to town *en ville*
by train *en train*
a tube *un tube*
Tuesday *mardi*
twenty past … *… vingt*
twenty to … *… moins vingt*
twin brother *le frère jumeau*

U

my uncle *mon oncle*
use *utilisez*

V

to visit museums *visiter les musées*
visit *la visite*
volleyball *le volleyball*

W

I wake up *je me réveille*
washrooms *les sanitaires* (m pl)
I watch *je regarde*
water *l'eau* (f)
we *nous*
Wednesday *mercredi*
week *la semaine*
Welsh *gallois(e)*
I went shopping *j'ai fait les magasins*
I went *je suis allé(e)*
West Indian *antillais(e)*
what are you doing? *que fais-tu?*
when? *quand?*

a whole day *une journée*
why? *pourquoi?*
windsurfing *la planche à voile*
I wish *je veux*
with *avec*
I would like *je voudrais*

Y

yoghurt *le yaourt*
youth hostel *l'auberge de jeunesse* (f)